重新探索自我

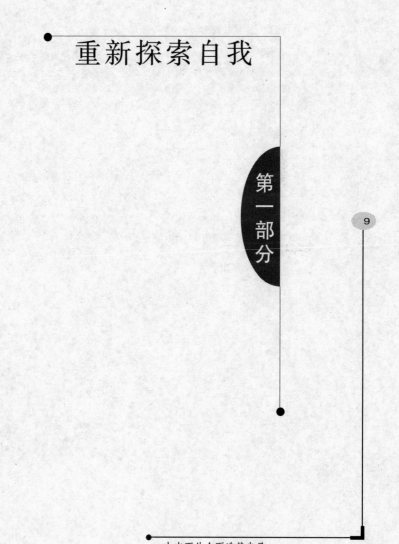

第一部分

由内而外全面造就自己

的方式,而是第三种远胜过个人之见的办法。它是互相尊重的成果——不但是了解彼此,甚至是称许彼此的差异,欣赏对方解决问题及掌握机会的手法。个人的力量是团队和家庭统合综效的利基,能使整体获得一加一大于二的成效。实践统合综效的人际关系和团队会扬弃敌对的态度(1 + 1 = 1/2),不以妥协为目标(1 + 1 = 1　1/2),也不仅止于合作(1 + 1 = 2),他们要的是创造式的合作(1 + 1 = 3 或更多)。

习惯七:**不断更新**(SHARPEN THE SAW)

不断更新谈到的是,如何在四个基本生活面向(生理、社会/情感、心智及心灵)中,不断更新自己。这个习惯提升了其他六个习惯的实施效率。对组织而言,七习惯提供了愿景、更新及不断的改善,使组织不至呈现老化及疲态,并迈向新的成长之径。对家庭而言,七习惯透过固定的个人及家庭活动,使家庭效能升级,就像建立传统,使家庭日新月异,即是一例。

情感帐户(EMOTIONAL BANK ACCOUNT)

情感帐户用作比喻人际关系中的信任程度,如同银行里的帐户,可供存款与提款。诸如知彼解己、做出并信守承诺、忠于不在场人士等行为,都能增高信任的程度;寡情薄义、食言而肥、在别人背后蜚短流长等,都会减低、甚至瓦解关系中的信任感。

思维模式(PARADIGM)

这是每个人看待世界的方式,未必与现实相符。它是一份地图,而非领域本身,是由每个人的成长背景、经验及选择打造而成,我们会透过它来窥探万事万物。

七习惯的简要定义与架构图

习惯一：积极主动（BE PROACTIVE）

主动积极即采取主动，为自己过去、现在及未来的行为负责，并依据原则及价值观，而非情绪或外在环境来下决定。主动积极的人是改变的催生者，他们扬弃被动的受害者角色，不怨怼别人，发挥了人类四项独特的禀赋——自觉、良知、想像力和自主意志，同时以由内而外的方式来创造改变，积极面对一切。他们选择创造自己的生命，这也是每个人最基本的决定。

习惯二：以终为始（BEGIN WITH THE END IN MIND）

所有事物都经过两次的创造——先是在脑海里酝酿，其次才是实质的创造。个人、家庭、团队和组织在做任何计划时，均先拟出愿景和目标，并据此塑造未来，全心投注于自己最重视的原则、价值观、关系及目标之上。对个人、家庭或组织而言，使命宣言可说是愿景的最高形式，它是主要的决策，主宰了所有其他的决定。领导工作的核心，就是在共有的使命、愿景和价值观之后，创造出一个文化。

习惯三：要事第一（PUT FIRST THINGS FIRST）

要事第一即实质的创造，是梦想（你的目标、愿景、价值观及要事处理顺序）的组织与实践。次要的事不必摆在第一，要事也不能放在第二。无论迫切性如何，个人与组织均针对要事而来，重点是，把要事放在第一顺位。

习惯四：双赢思维（THINK WIN/WIN）

双赢思维是一种基于互敬，寻求互惠的思考框架与心意，目的是更丰盛的机会、财富及资源，而非患不足的敌对式竞争。双赢即非损人利己（赢输），亦非损己利人（输赢）。我们的工作伙伴及家庭成员要从互赖式的角度来思考（'我们'，而非'我'）。双赢思维鼓励我们解决问题，并协助个人找到互惠的解决办法，是一种资讯、力量、认可及报酬的分享。

习惯五：知彼解己 （SEEK FIRST TO UNDERSTAND, THEN TO BE UNDERSTOOD）

当我们舍弃回答心，改以了解心去聆听别人，便能开启真正的沟通，增进彼此关系。对方获得了解后，会觉得受到尊重与认可，进而卸下心防，坦然而谈，双方对彼此的了解也就更流畅自然。知彼需要仁慈心；解己需要勇气，能平衡两者，则可大幅提升沟通的效率。

习惯六：统合综效（SYNERGIZE）

统合综效谈的是创造第三种选择——即非按照我的方式，亦非遵循你谁也无法说服他人改变。我们每个人都守着一扇只能从内开启的改变之门,不论动之以情或说之以理,我们都不能替别人开门。

倘若你已决定打开"改变之门",接纳本书所阐扬的观念,那么我保证,你会得到以下的收获。首先你的成长过程虽是渐进的,效果却是革命性的。你将会认同,仅产出/产能平衡这一项原则,如果得到充分应用,就会使大多数个人和企业发生变化。前三个有关个人成功的习惯,可以大幅提高你的自信。你将更能认清自己的本质、内心深处的价值观以及个人独特的才干与能耐。凡是秉持自己的信念而活,就能产生自尊自重与自制力,并且内心平和。你会以内在的价值标准,而不是旁人的好恶或与别人比较的结果,来衡量自己。这时候,事情对错的尺度已无关乎是否会被他人发觉。

你还会意外地发现,当你不再介意别人怎样看你时,反而会去关心别人对他们自身、他们所处环境以及与你关系的看法。你不再让别人影响情绪,反而更能接受改变,因为你发现有一些恒久不变的内在本质,可以作为支柱。

至于追求公众成功的三个习惯,能够帮助你重建以往恶化、甚至断绝了的人际关系。原本不错的交情则更为巩固。

习惯七可加强前面六个习惯,时时为你充电,达到真正的独立与成功的互赖。

不论你的现况如何,天下没有改不了的习气。只要有心,我都鼓励大家敞开改变的大门,培养新的习惯,学习不同的行为模式。虽然这需要长时间下功夫,但是必定会有鼓舞人心的直接收益。诚如美国开国初期政治思想家佩因(Thomas Paine)所说:

得之太易者必不受珍惜。惟有付出代价,万物始有价值。上苍深知如何为其产品订定合宜的价格。

如何善用本书

　　在正式讨论高效能人士的七个习惯之前，我想建议读者先建立两个新观念，这将使你阅读本书的收益大为增加。

　　首先，我建议各位不要对本书等闲视之，大略读过便束之高阁。当然，你不妨从头到尾浏览一遍，以了解全书梗概。不过我希望在你改进自我的成长过程中，本书能时时与你为伴。本书在编排方式上分成几个循序渐进的章节，便于读者随时参阅并付诸行动。即使你已对书中的原则观念得心应手，还是可以不时翻阅，或许会有更多的体会与收获。

　　其次，我建议你改以老师的角色来阅读，除了吸收还要能复述。在阅读过程中，应有心理准备，预计在 48 小时以内，与人分享或讨论读书心得。

　　我相信心态不同，阅读的成效就会两样。比方你知道将要在 48 小时内，向别人讲解本书提到的产出／产能平衡原则 (P/PC balance principle)，你的阅读成效定会有所不同。现在你就可以假定今天或明天，要趁记忆犹新之际，把本章最后一节的主旨告诉家人、朋友或同事。然后试着比较一下，感觉有何差别。

　　我保证，这种阅读方式可以增强记忆、加深体会、扩大视野，而且会有更强烈的动机去运用本书所讲述的原则。同时，开诚布公地与人分享读书心得，可以改变形象，赢得友谊，甚至为你带来一群实践七个习惯的同伴。

你将有何收益

　　最后我要借用美国作家佛格森(Marilyn Ferguson)的一段话：

第三部分 公众的成功：从独立到互赖

第六章 你不是一座孤岛(143)

第七章 习惯四：

双赢思维——人际领导的原则(159)

第八章 习惯五：

知彼解己——将心比心交流的原则(179)

第九章 习惯六：

统合综效——创造性合作的原则(197)

第四部分 全面观照生命

第十章 习惯七：(217)

不断更新——平衡的自我更新的原则

第十一章 再次由内而外造就自己(233)

附 录

一、你是哪种类型的人——生活重心面面观(243)

二、第四代时间管理——高效能人士的一天(249)

目　录

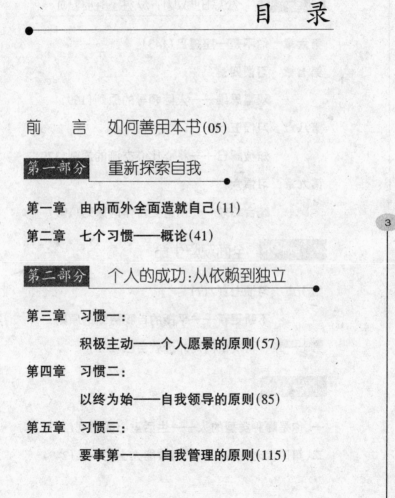

前　言　如何善用本书(05)

第一部分　重新探索自我

第一章　由内而外全面造就自己(11)

第二章　七个习惯——概论(41)

第二部分　个人的成功:从依赖到独立

第三章　习惯一:

积极主动——个人愿景的原则(57)

第四章　习惯二:

以终为始——自我领导的原则(85)

第五章　习惯三:

要事第一——自我管理的原则(115)

3

图书在版编目(CIP)数据

高效能人士的七个习惯/(美)柯维著;顾淑馨等译.
北京:中国青年出版社.2002

ISBN 7 – 5006 – 4903 – 7/G·1408

Ⅰ. 高⋯　Ⅱ.①柯⋯②常⋯　Ⅲ. 企业管理 – 通俗读物
Ⅳ. F270 – 49

中国版本图书馆 CIP 数据核字(2002)第 084822 号
本书部分中文译稿由台湾天下远见出版股份有限公司授权使用

高效能人士的七个习惯

作　　者：〔美〕史蒂芬·柯维(Stephen R. Covey)
译　　者：顾淑馨　常　青
责任编辑：易小强　刘　炜
文字编辑：阳　春
美术编辑：李艳华
责任监制：于　今
出　　版：中国青年出版社
发　　行：中国青年出版社北京中青文
　　　　　书刊发行中心　(010)65516875
印　　刷：中国青年出版社印刷厂
版　　次：2004 年 1 月第 3 版
印　　次：2004 年 2 月第 10 次印刷
开　　本：880×1230　1/32
字　　数：160 千字
印　　张：8
京权图字：01 – 2002 – 5089
书　　号：ISBN 7 – 5006 – 4903 – 7/G·1408
定　　价：19.00 元

我社将与版权执法机
关配合大力打击盗印、盗
版活动,敬请广大读者协
助举报,经查实将给予举
报者重奖。

举报电话:
北京市版权局版权执法处
　　　　　(010)84251190
中国青年出版社
　　　　　(010)65516875
　　　　　(010)65516873

THE 7 HABITS OF HIGHLY EFFECTIVE PEOPLE

高效能人士的
七个习惯
（全译本）

[著]史蒂芬·柯维（Stephen R. Covey）

中国青年出版社

第 一 章

由内而外全面造就自己

品德成功论强调，圆满的生活与基本品德是不可分的。惟有修养自己具备品德，才能享受真正的成功与恒久的快乐。

没有正常的生活,就没有真正卓越的人生。

　　　　　　——乔登(David Starr Jordan),美国生物学家及教育家

　　25 余年来,我在商界、大学与担任家庭婚姻顾问的工作经验中,接触过形形色色表面上事业有成、内心却感到匮乏的人,他们极渴望过和谐、圆满的生活,并享有不断开展的良好人际关系。我相信他们所面临的问题,也是你所关注的:

　　●我曾为自己定下许多目标,也都一一达成。我的事业十分成功,但却牺牲了个人与家庭。不但与妻儿形同陌路,甚至不知道还认不认识自己,不了解什么对自己是真正重要的。我不得不扪心自问——这样做值得吗?

　　●我今年已开始第 5 次控制饮食。我知道自己身体过重,也的确想改变。我阅读了所有的新资料,确定目标,用积极的态度激励自己,说我是可以做到的。但我并没有做到。几周后,我失败了。我似乎根本不能实现自己的诺言。

　　●我上过无数教导主管如何有效管理的课程,我对员工的

期望很高,也想尽办法善待他们,希望维持彼此良好的关系。可是总觉得员工不忠心,我若是有一天生病在家,他们一定会终日无所事事闲扯。为什么不能把他们训练成独立又有责任心的员工呢?为什么我始终找不到这种员工?

●我那十几岁的儿子不听话,还吸毒。不管我怎么说,他就是不听我的话。我该怎么办呢?

●我要做的事太多了,可是总感到时间不够用。每天都觉得神经紧张、匆匆忙忙。一周7天,天天如此。我参加时间管理研讨会,也尝试过不下6种规划时间的办法,虽然不能说没有帮助,但是仍觉得无法过上理想中的既充实又自在的生活。

●我想教我的孩子懂得工作的价值,但是每次要他们做点事,都得时时刻刻在旁边监督,还得忍受他们不时发出的怨言,结果还不如自己动手来得简单。为什么孩子们就不能快快乐乐地料理自己的事而用不着别人来提醒呢?

●我很忙,的确很忙。但有时候我并不清楚,从长远看,我做的工作是否有意义。我的确希望在我的生活中,那是有意义的,希望由于我的存在,事情会出现某种不同。

●看到别人有所成功,或获得某种肯定,表面上我会堆出一张笑脸,热忱忱地恭贺他们。可是,心底却难过得不得了。为什么会有这种感觉?

●我的个性很强。我知道,几乎在任何交往中,我都能控制结果。多数情况下,我甚至可以影响其他人通过我想要的决议。我仔细考虑每种情况,并且觉得我提出的建议通常对大家都是最好的。但是我感到不安。我往往不知道他人对我的建议到底取何态度。

●我的婚姻已变得平淡无趣。我们并没有恶言相向,甚至大打出手，只是不再有爱的感觉。我们请教过婚姻顾问，也试过许多办法，可是仿佛就是无法重新燃起往日的爱情火花。

这些都是深层、痛苦的问题，不是一天两天就能解决得了的。

几年前我和妻子桑德拉就为类似的问题大伤脑筋。我们的一个儿子当时在学校陷入困境，他的成绩惨不忍睹，连考卷上的答题说明都看不懂，更甭想拿高分了。在交往上，他是不成熟的，往往使那些十分亲近他的人都感到很窘迫。在运动场上，他身材瘦小，又不灵活。打棒球时，往往球还没投出就已挥棒，每每招来同学的嘲笑。

桑德拉和我想尽办法帮助他。我们总以为，若要做个"十全十美"的人，当然也得做个完美的父母。于是我们改变自己的态度与行为，也试着想改变儿子的，我们企图用积极的态度来激发他的自信心。例如鼓励他："加油，孩子，你可以办得到! 我们知道你可以。把棒子握高一点，眼睛看着球，等球快到面前再挥棒。"只要稍有进步，我们一定忙不停地称赞，来增强他的信心。

如果有人嘲笑他，我们一定斥责对方："不要笑，让他自己来，他还在学习。"而这时我们的儿子会哭起来，坚持说自己永远也学不好，还有他根本就不喜欢棒球。

所有的努力似乎都徒劳无功，那时我们真是心急如焚，看得出来这一切努力反而对他的自尊心是个打击。一开始我们尽量鼓励、帮助、肯定他，可是一再失败之后，终于放弃了。只有试着从另一个角度来看待这件事。

当时我的主要工作是，为全美各地的客户设计领导力训练课程。由于这个机缘，我每两个月要为国际商用机器公司(IBM)

的主管,讲授有关沟通与认知的课程。

在准备教材的过程中,有关思维的形成、思维如何影响观点、观点又如何左右行为,这些都令我深感兴趣,因而进一步研究相关的理论。从中我意识到,每个人的思维是多么根深蒂固。并且了解到,认知不仅是认识外在世界,更与我们向外看时所透过的"镜片"有关,因为这镜片(即思维)往往左右着我们对外界的诠释。

我跟桑德拉谈到这些观念,并借此检讨自身所遭遇的困境。终于体认到,我们对儿子往往言不由衷。反躬自省后,我们承认在内心深处,的确觉得儿子"不如人"。所以不论态度与行为表现得多么愿意帮助他,效果都有限。因为表面的言行终究掩饰不住真正传达的信息,那就是:"你不行,你需要父母的保护。"

此时我们才觉悟,要改变现状,就得改变自己;要改变自己,先得改变我们看待外界的观点。

品德与个人魅力孰重

正巧在当时,我潜心研究自 1776 年以来,美国所有讨论成功因素的文献。我阅读或浏览过的论著不下数百,主题遍及自我完善、大众心理学以及自我帮助等等。对于爱好自由民主的美国人民所公认的种种成功之论,已算得上了如指掌。

从这 200 年来的作品中,我注意到一个令人诧异的趋势。那就是过去 50 年来讨论成功的著作都很肤浅,谈的都是如何运用社会形象的技巧与如何成功的捷径。但往往是头痛医头、脚痛医脚的特效药,治标而不治本。

比较而言,前 150 年的作品则有很大不同。这些早期论著强

15

调"品德"(character ethic)为成功之本,诸如像正直、谦虚、诚信、勤勉、朴实、耐心、勇气、公正和一些称得上是金科玉律的品德。富兰克林(Benjamin Franklin)的自传就是这个时期的代表作,内容主要描述一个人如何努力进行品德修养。

品德成功论强调,圆满的生活与基本品德是不可分的。惟有修养自己具备品德,才能享受真正的成功与恒久的快乐。

然而第一次世界大战后不久,人们对成功的基本观念改变了。由重视"品德"转而强调"个人魅力"(personality ethic),即成功与否取决于个性、社会形象,以及维持良好人际关系的圆熟技巧。这种思潮朝两大方向发展:一是着重人际关系与公关技巧;一是鼓吹积极进取心态。由此衍生出的行为习惯,有些的确是金科玉律,例如:"态度决定成败"、"微笑比皱眉更能赢得朋友"及"有志者事竟成"等等,但却也毫不避讳地鼓励玩弄手段、欺骗他人。例如运用技巧以赢得好感,伪装自己以套取情报,或虚张声势,甚至以威胁手段达到目标。

这类论著中,有些固然承认品德是成功的要素之一,但多半不十分重视,只是草草带过。对作者而言,品德只不过是用来妆点门面,要紧的还是速成的技巧与捷径。

两相比较下,我终于了解,过去我与桑德拉潜意识里都受到这种速成观念的影响,才会对儿子采取上述作法。其实,我们那么做是为了自己的社会形象。在我们心目中,这个孩子有失颜面,我们重视如何扮演模范父母及维持形象,更甚于对孩子的关切。这种心态或许也影响到孩子对自己的看法。的确,在面对与处理这个问题时,我们被许多因素所蒙蔽,反而忽略了儿子自身的幸福。

桑德拉和我愈深入地探讨,愈惭愧地发现,我们自身的动机与观点是如何强烈影响着孩子。因为好面子，使我们对孩子的爱有了条件，造成他的自我评价低落。所以我们决定从自身下功夫，不讲究技巧，而着重调整内心真正的动机与对孩子的看法。我们不设法改变他，转从客观的角度去了解，找出他独特的个性与特质。

经过一番努力，我们终于发现这孩子也有不同凡响之处与无尽的潜能，只要顺其自然，必可发挥无疑。于是我们决定不再插手，让他自由发展，只是从旁肯定、重视，并且分享他的一切经验。另一方面，我们也做了一番心理建设——不凭借孩子良好的表现来肯定自我。

一旦摆脱了过去的心态，顿时感受到一股新气象。不必再拿儿子与旁人比较，把固定的社会模式强加在他身上，反而能够平心静气地与孩子相处。我们相信他有能力应付人生的种种挑战，也就不急于保护，以使他不受嘲笑。

可是孩子已习惯于接受保护，因此一开始表现得相当退缩。他向我们求援，我们虽然倾听，但不一定如他预期的反应。这无形中传达了一个信息："父母不必保护你，你不会有问题的。"

几个月过去，他渐渐有了信心，也肯定自己的价值，终于以自己的速度与步调发挥潜能。不论在学业、运动场与社交场合上，他的表现以一般社会标准来衡量，都是相当杰出的。这一切都在一念之间，一旦思维改变，便豁然开朗。后来他还当选学生社团代表、州代表队选手，拿回家的成绩单则科科甲等。另外，还培养出诚恳热心的个性，走到哪儿都能与人相处融洽。

桑德拉与我相信，这个孩子"足以傲人"的成就，出于自动自发的因素要多于外在的影响。这是前所未有的经验，对我们教养子女以及扮演其他角色很有启发作用。也使我们体验到，凭借品德和依靠个人魅力而成功,两者之间的差距有多么大。

光有技巧还不够

教养儿子的经验,以及研究人们的认知能力、阅读讨论成功因素的著作,三者心得相互激励之下,我突然间认清了个人魅力论无与伦比的影响力。也体会到从小所学并且深植于心灵深处的价值观,其实与现在四处弥漫的速成哲学相去不远,而这种细微的差异经常被人忽略。多年来我传授他人的若干习惯,自信十分有效,却与流行的思潮不尽相同,现在我终于对个中原因有了深一层的领会。

我并非暗示,个人魅力论所强调的重点,如追求个人成长、训练沟通技巧、培养积极思考及发挥影响力,不具效用。它们有时确实是成功的要素,但是这些只是次要却非最根本的优点。或许我们沿着前人的轨迹开创前程时,太过重视造就自己,忽略了前人所打下的基础;也或许我们习惯于坐享其成,已经遗忘了自己必须耕耘。

即使我可以运用手段使他人投我所好,为我赴汤蹈火,或对我产生好感,彼此同仇敌忾;然而只要品德有缺陷,尤其是言不由衷、虚情假意,终究成不了大器,因为言不由衷会招致怀疑,到时一切的所作所为都会被视为别有用心。任凭再冠冕堂皇,甚至于出发点再良善,如果不能获得信任,就算成功了也经不起考验。因此,惟有基本的品德能够为人际关系技巧赋予生命。

只重技巧就仿佛考前临时抱佛脚。纵使有时顺利过关,甚至成绩还不错,但不经过日积月累的苦读,绝对无法学得精通,也不能增进心智成长。

试想如果耕种也临时抱佛脚,这不是很荒谬吗?春天忘了播种,夏天忙着享乐,秋天能够收成吗?播种什么收获什么,没有捷径可抄,这是自然界的定律。

世事也是这样。在人为的社会体制中,例如学校里,你或许能靠着一点小聪明,成功于一时。短暂的人际关系中,你也可凭借个人魅力畅行无阻,不但给人留下良好的印象,甚至会被视为知己。但对于持久的人际关系,这些次要的长处便英雄无用武之地了。倘若没有真诚的品德作后盾,日久见人心,真正的动机总会浮现,一时的成功便难以为继。

许多具备这些次要优点,也就是社会公认有才华的人,往往欠缺基本的品德。不论是同事、朋友、配偶或处于尴尬年龄的青少年,你的四周一定存在这种有缺陷的人。事实上品德才是沟通的利器。美国作家、哲学家爱默生(Ralph Waldo Emerson)曾说:"大声喧哗反而难以入耳。"

当然,也有人品德修养不错,却不善言辞,自然影响到人际关系的品质,但毕竟瑕不掩瑜。

由此可见,内在本质比外在言行更具有说服力,这个道理人人都知道。有人能获得完全的信赖,因为我们了解他的本性。所以不论他是否能说会道,或是否擅长于人际关系,我们依然信任有加,而且与他们合作无间。

文学家乔登(William George Jordan)曾说:

人性可善可恶,冥冥中影响着我们的一生,而且总是如实反映出真正的自我,那是伪装不来的。

认识个人的心灵地图

本书汇集了追求圆满人生所不可或缺的七个基本习惯,它们是长保快乐成功的不变真理,放诸四海皆准。不过,我们必须先了解人类的"思维"以及如何转换思维,才能真正认识这七个习惯。

先前提到的品德成功论与个人魅力论就是两个典型的社会思维。"思维"(paradigm)这个字来自希腊文,最初是一个科学名词,目前多半用来指某种理论、典范或假说。不过广义而言,是指我们看待外在世界的观点。我们的所见所闻并非直接来自感官,而是透过主观的了解、感受与诠释。

简言之,我们可以把思维比作地图。地图并不代表一个实际的地点,只是告诉我们有关地点的一些信息。思维也是这样,它不是实际的事物,而是对事物的诠释或理论。

乍到一处陌生地方,却发现带错了地图,难免感到冤枉无助。同样地,若想改进缺点,但着力点不对,徒然白费工夫,与初衷背道而驰。或许你并不在乎,因为你奉行"只问耕耘不问收获"的人生哲学。但问题在于方向错误,"地图"不对,努力便等于浪费。惟有方向(地图)正确,努力才有意义。在这种情况下,只问耕耘不问收获也才有可取之处。因此,关键仍在于手上的地图是否正确。

我们每个人脑海中都有许多地图,大致上可分为两大类:一是关于现实世界的,是有关个人价值判断的。我们以这些心灵的地图诠释所有的经验,但从不怀疑地图是否正确,甚至于不知道它们的存在。我们理所当然地以为,个人的所见所闻就是感官传来的信息,也就是外界的真实情况。我们的态度与行为又从这些假设中衍生而来,所以说,思维决定一个人的思想与行为。

现在来做一个小小的测验,请先看图 1-1 与图 1-2。你认为图中是两位女士吗?她们大约几岁?长相如何?衣着如何?身分

图 1－1

由内而外全面造就自己

又如何？

或许你认为图1-2的女士是位妙龄女子，时髦、端庄、讨人喜欢，是约会的好对象，也有当模特儿的本钱。如果我说你看走眼了，这位女士已六七十的高龄，而且面带忧戚，绝非模特儿，或许过马路时还有劳你扶她一把，你会有什么反应？究竟谁才是对的？假使不论你怎么观察，也看不出那是一位老妇人，不妨再试试看。你能否辨认出她的硕大的鹰钩鼻子，她的披肩？

若我们是面对面地讨论，你就可以把你看到的描述给我，我也可以把我看到的讲述给你。这样不断交流看法，直到我们都清楚地把所看到的指点给对方。

因为做不到这一点，所以现在请再看图1-3，并且将它与图1-2对照。你看出这位老妇人了吗？在继续往下读之前请先看看她，这很重要。

多年以前我就读哈佛商学院时，首次接触这个实验。当年那位教授借此说明，不同的人对同样一件事会有不同的看法，并且都能成立。这无关乎逻辑，而是心理因素使然。

起先，教授把两叠卡片分发给教室两边的同学，其中一叠是图1-1的少妇像，另一叠是图1-3的老妇像。他给我们10秒钟观看这些卡片，然后收回。接着在银幕上打出两者重叠后的画面，也就是图1-2，并要全班描述这位女子。结果，事先看过少妇像的，几乎一致认定这就是那位少妇；而先前看到老妇像的同学，也都认为图1-2是位老妇人。

接着教授请同学说明理由，双方各执一词：

"别开玩笑，我看她绝对不超过二十几岁，怎么可能是个老太婆？"

"你才开玩笑，她少说也有70。"

图 1 - 2

由内而外全面造就自己

23

"你怎么啦?瞎了吗?她很年轻,漂亮又可爱。我倒想带她出去遛遛。"

"可爱?她是个丑老太婆。"

当时我们都心知肚明自己观点不一定正确,对方的看法也可能成立,只是口头上谁也不肯认输,只有少数同学试着从另一种角度来看这幅画像。

经过一番争辩,双方僵持不下。终于有位同学走上前去,指着一条线条说:"这少妇戴了一串项链。"另一位马上反驳:"不,这是老妇的嘴角。"于是大家你来我往开始一一讨论画中每个细节,并逐渐接受对方的观点。但当转过脸去,然后再回头看时,大多数人又会立即认出当时被限定在 10 秒钟之内看到的形象。

后来我为个人或公司担任顾问时,经常借用这个实验,因为它能够使我们对人以及人际关系的本质,有更透彻的认识。最要紧的是,它充分体现出制约作用对我们的思维有多大的影响力。仅仅 10 秒钟就能产生如此这般的影响,持续终身的制约作用可想而知。人的一生中,来自家庭、学校、工作环境、亲友同事、宗教以及流行思潮(如个人魅力论)的影响力,均在不知不觉中制约着我们,左右着我们的思维——心灵地图。

这个实验也说明,思维是行为与态度的根本,我们的一言一行均脱离不了思维的影响。就以图 1-2 为例,你若认为那是一位少妇,就自然不会想到搀扶她过街。你对她的态度和行为必须同你对她的看法相一致。

由此可凸显个人魅力说的基本缺陷之一,也就是仅仅强调行为与态度的皮毛,却忽略了根源。

从这个实验中,我们还可体会到观点对人际关系的作用。

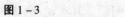

图 1 - 3

由内而外全面造就自己

一般人总认为自己的观点正确且立场客观，但实验却证明，虽然别人的结论不同，并不代表他们是主观的、错误的。

事实上，我们高估了自己，因为我们是透过有色眼镜去看外在的世界，也就是用自身的观点去看。因此当有人跟我们意见不一致时，我们便直觉认为别人有问题。其实观点不同以致看法有异，是完全正常的现象。

不过这并不表示没有客观的事实存在。譬如在图 1 - 2 中，双方都看到了白底黑线条，也都承认它的存在，只是每个人根据以往的经验而有不同的诠释。若不经过诠释，这些事实便不具有任何意义。

一旦我们对自身的基本思维（地图）以及经验加诸我们的影响力，有愈多的认识，就愈能够为自己的思维负责，并加以检视。同时对别人的看法与思维也愈能够接纳，如此才能获得较客观的看法。

思维转换，建立全新的观点

由这个实验所得到的种种启发当中，最重要的莫过于"顿悟"的经验，也就是忽然领悟对方原来是这样观看这幅画的。这种现象我们称为"思维转换"。第一印象对你的影响愈大，顿悟的刺激也愈大。

"思维转换"（paradigm shift）一词是美国哲学家库恩（Thomas Kuhn）首先提出的，见于他极具影响力的经典之作《科学革命的结构》（ *The Structure of Scientific Revolutions* ）一书。库恩在书中阐释，每一项科学研究的重大突破，几乎都是先打破传统，打破旧思维，而后才成功的。

●古埃及天文家托勒密（Ptolemy）认为地球是宇宙的中心，但哥白尼（Copernicus）主张太阳才是宇宙的中心，因而激起思维的转换。尽管后者曾招致强烈反抗与迫害，但转眼间，人类对宇宙万物的诠释完全改观。

●牛顿（Sir Isaac Newton）的物理学原理虽至今仍是现代工程学的基础，但并未穷尽科学的边界。直到爱因斯坦（Albert Einstein）的相对论一出，又为科学界带来一次革命。

●有关细菌的学说未出现之前，许多妇女死于分娩，许多战士死于伤病而非敌人的攻击；直到细菌论带来了全新的观念，现代医学才有进步的可能。

●今日的美国也是思维转换的成果。传统君权神授、君主专制思维，由民主、民享的观念所取代，才促成民主宪政与自由富足的社会。

但并非所有的思维转换都是正面的。例如我们曾提到，由强调品德转为强调个人魅力，反而使我们偏离了享受真正成功与快乐的正轨。

姑且不论思维转换的利弊得失，也不必追究它是逐渐发生抑或突如其来的。总之它会改变我们的态度与行为，而且威力惊人，这是勿庸置疑的。

我个人曾有一次小小的思维转换经验。记得那是周日早晨，在纽约的地铁内，乘客都静静地坐着，或看报或沉思或小憩，眼前一幅平静安祥的景象。这时候突然上来一名男子与几个小孩，孩子的喧哗吵闹声，破坏了整个气氛。那名男子坐在我旁边，任凭他的孩子如何撒野作怪，依旧无动于衷。这种情形谁看了都会生气，全车的人似乎都十分不满，最后我终于忍无可忍对他说:"先生,你的孩子打扰了不少乘客,可否请你管管他们?"

那人抬起呆滞的目光,仿佛如梦初醒,他轻声说:"是,我想我该设法管管他们。我们刚从医院回来,他们的母亲1小时前才过去的。我已经六神无主,孩子们大概也不知该如何是好。"

你能想象我当时的感觉吗?瞬间,我看此事的角度改变了,想法、感觉与行为也随之一变。我的怒气全消,情不自禁为他感到难过,同情与怜悯之情油然而生。"噢,您的夫人刚过世?很抱歉!您能向我谈谈吗?有需要帮忙的地方吗?"所有的一切就此改观。

许多人在面临生死攸关的危机时,也会大彻大悟,以新的角度去评定生命的意义。有时突然进入一个新角色,如丈夫、妻子、父母、主管或领导,也会发生这种现象。

看法与本质

当然并非所有的思维转换,都如同我在纽约地铁的经历那般迅速,我和桑德拉教育儿子的经验,就是一段漫长、艰辛且费神的过程。一开始我们因袭传统与流俗,深信子女的成败代表父母的荣辱。直到后来,思维改变,看事情的角度不同,才彻底调整了自己以及四周的环境。

为了以全新的观点看待儿子,我们必须先重新做人。我们投入时间精力修养品德,建立不同于以往的思维。

思维与品德是息息相关的,所以说"什么样的人有什么样的思维"。如果本性不改,思维也难以转换。

比方说,那天在纽约地铁的转变,也是我的本性使然。我相信,有些人即使得知真实情况,只会略感遗憾或稍有内疚感,顶多默默而尴尬地坐在那名不知所措的男子身旁。同样地,我也

●古埃及天文家托勒密 (Ptolemy) 认为地球是宇宙的中心，但哥白尼 (Copernicus) 主张太阳才是宇宙的中心，因而激起思维的转换。尽管后者曾招致强烈反抗与迫害，但转眼间，人类对宇宙万物的诠释完全改观。

●牛顿 (Sir Isaac Newton) 的物理学原理虽至今仍是现代工程学的基础，但并未穷尽科学的边界。直到爱因斯坦 (Albert Einstein) 的相对论一出，又为科学界带来一次革命。

●有关细菌的学说未出现之前，许多妇女死于分娩，许多战士死于伤病而非敌人的攻击；直到细菌论带来了全新的观念，现代医学才有进步的可能。

●今日的美国也是思维转换的成果。传统君权神授、君主专制思维，由民主、民享的观念所取代，才促成民主宪政与自由富足的社会。

27

但并非所有的思维转换都是正面的。例如我们曾提到，由强调品德转为强调个人魅力，反而使我们偏离了享受真正成功与快乐的正轨。

姑且不论思维转换的利弊得失，也不必追究它是逐渐发生抑或突如其来的。总之它会改变我们的态度与行为，而且威力惊人，这是勿庸置疑的。

我个人曾有一次小小的思维转换经验。记得那是周日早晨，在纽约的地铁内，乘客都静静地坐着，或看报或沉思或小憩，眼前一幅平静安祥的景象。这时候突然上来一名男子与几个小孩，孩子的喧哗吵闹声，破坏了整个气氛。那名男子坐在我旁边，任凭他的孩子如何撒野作怪，依旧无动于衷。这种情形谁看了都会生气，全车的人似乎都十分不满，最后我终于忍无可忍对他说："先生,你的孩子打扰了不少乘客,可否请你管管他们?"

那人抬起呆滞的目光,仿佛如梦初醒,他轻声说:"是,我想我该设法管管他们。我们刚从医院回来,他们的母亲1小时前才过去的。我已经六神无主,孩子们大概也不知该如何是好。"

你能想象我当时的感觉吗? 瞬间,我看此事的角度改变了,想法、感觉与行为也随之一变。我的怒气全消,情不自禁为他感到难过,同情与怜悯之情油然而生。"噢,您的夫人刚过世?很抱歉! 您能向我谈谈吗?有需要帮忙的地方吗?"所有的一切就此改观。

许多人在面临生死攸关的危机时,也会大彻大悟,以新的角度去评定生命的意义。有时突然进入一个新角色,如丈夫、妻子、父母、主管或领导,也会发生这种现象。

看法与本质

当然并非所有的思维转换,都如同我在纽约地铁的经历那般迅速,我和桑德拉教育儿子的经验,就是一段漫长、艰辛且费神的过程。一开始我们因袭传统与流俗,深信子女的成败代表父母的荣辱。直到后来,思维改变,看事情的角度不同,才彻底调整了自己以及四周的环境。

为了以全新的观点看待儿子,我们必须先重新做人。我们投入时间精力修养品德,建立不同于以往的思维。

思维与品德是息息相关的,所以说"什么样的人有什么样的思维"。如果本性不改,思维也难以转换。

比方说,那天在纽约地铁的转变,也是我的本性使然。我相信,有些人即使得知真实情况,只会略感遗憾或稍有内疚感,顶多默默而尴尬地坐在那名不知所措的男子身旁。同样地,我也相信有人天生比较敏感，一开始就察觉出这名男子深受困扰，而主动去了解与帮助他，不会像我这么后知后觉。

由此可知，思维的威力无穷，因为它是我们观察外在世界所透过的"镜片"。而思维转换无论是瞬间完成或长期酝酿而成，都是改变行为与态度的原动力。

以原则为中心的思维

品德成功论植根于一个基本信念之上，那就是人生有些原则（principle）是指向成功圆满的明灯，相当于人世间的自然法则，又仿佛自然科学的定理，放诸四海而皆准，任何人都无法否定其存在或正确性。

这些原则究竟多么真切、多么不容忽视，由柯克（Frank Koch）在海军学院的杂志《过程》（Proceedings）中讲到的以下这段海上经历，可以获得证明：

两艘正在演习的战舰在阴沉的天气中航行了数日，我在其中的旗舰上服役。有一天傍晚，我正在船桥上负责瞭望，但在浓重的雾气下，能见度极差。此时船长也守在船桥上指挥一切。

入夜后不久，船桥一侧的瞭望员忽然报告："右舷有灯光。"

船长询问光线是正逼近还是远离。瞭望员答："逼近。"这表示对方会撞上我们，后果不堪设想。

船长命令信号手通知对方："我们正迎面驶来，建议你转向20度。"

对方说："我是二等水手，贵船最好转向。"

这时船长已勃然大怒，他大叫："告诉他，这里是战舰，转向20度。"

对方的信号传来:"这里是灯塔。"

结果,我们改了航道。

我们随着这位船长经历了一次思维转换,思维一旦移转,整个情况就完全改观。这位船长因为视线不良而看不清实情,但是认清事实在日常生活中,对我们就如同对置身浓雾中的船长,同样是很重要的。

人生的原则仿佛灯塔,是千锤百炼的真理。一般人从经验与社会制约中建立起思维——也就是地图,然后透过这些观点去看待自己的生活与人际关系。但地图并不代表地点本身,只是"主观的事实",陈述我们对某一地点的认识。而如"灯塔"一般的原则才是"客观的事实",不论我们的心灵地图如何解释,都无法改变它的存在。

任何人只要对人类历史的盛衰循环深切了解,都会承认这些原则是颠扑不破、历久而弥新的。国家社会的存亡与兴衰,往往就取决于是否能遵奉这些原则。

我所强调的这些原则,并非一些深奥玄妙的宗教哲理,也不属于任何特定的宗教或信仰。可以说世上各主要宗教、民族的伦理道德思想中,几乎都涵盖了它们。这些不辩自明的真理,任何人都可以心领神会,就好像人类与生俱来的良知,不分种族肤色,人人具备。即使被社会流俗或个人否定而隐晦不彰,但它们依然存在。

比方说"公平"的原则,平等与正义的思维便由此衍生而来。固然每个社会对何谓公平以及如何维持公平,看法可能分歧很大,但基本上都承认公平原则的本身。

其次是"诚实"与"正直",这是人类互信的基础。有了这个基础,人类才能互助合作,追求个人与群体的持续成长。

"人性尊严"的原则,就如同美国独立宣言所揭示的:"人类生而平等,享有天赋不可侵犯的权利,包括生命、自由及追求幸福之权。"

此外,还包括"服务"的原则——对社会有所贡献,以及"讲求品质"或"追求卓越"的原则。"潜力"原则是指人人均可成长进步,不断发挥潜能,展现才华。与此密切相关的是"成长"原则,也就是潜能得以发挥,特长得以展现;这个过程需要"耐心"、"教育"与"鼓励"的配合。

原则不同于实践。实践是特定的行为或活动,往往适用于某一种情况,一旦情况改变便失效了。就好比父母不能完全以教养第一个孩子的方式,去养育另一个孩子。

实践是个别的、局部的,原则却是普遍的、整体的。原则适用于个人、婚姻、家庭以及公私团体,假使我们能把原则化为习惯,那么要解决个别问题就易如反掌。

原则不是价值观(value)。一群盗匪可能有相同的价值观,但他们违反了我们所说的良善原则。价值观是地图,原则才是地点本身。惟有借重正确的原则,才能认清事情的真相。

原则是人类行为的准则,也是不容置疑的基本道理,历经考验而永垂不朽。试问人们可以凭借欺骗、不公、卑鄙、庸碌、一无所长或堕落,而获得持久的幸福与成功吗?尽管对于行为规范的涵义与实践,各人有各人的说法,不过这类原则确实存在于我们的良知中。一个人的思维愈能符合上述原则,便愈正确有益。

遵循成长和变化的原则

目前盛行的个人魅力论最吸引人的地方,就是号称圆满的人生——包括个人成就、财富与良好的人际关系——有捷径可循，不必脚踏实地去追求。

这种华而不实、"暴发户式"的论调，无异于鼓励不劳而获。纵使得以成功，也是胜之不武。

强调个人魅力既不切实际，又会误导人心。一步登天就如同身在芝加哥，手上拿的却是底特律的地图，欲速则不达。

对这种主张颇有研究的美国哲学家弗罗姆（Erich Fromm）曾说：

现在我们常见到一类浑浑噩噩的人，没有自知之明，却也毫不在乎。惟一认识的人，是别人眼中的自己。他们已失去沟通的能力，终日言不及义；一脸伪善，见不到真情流露；除了无聊至极的感觉，早已无法感受真正的痛楚。我们可以用两句话来形容这种人：一是他们丧失了天性与个人特质，而且无可救药；再就是基本上他们并不比芸芸众生更高明。

人生有许多成长发展的阶段，必须循序渐进。小孩子先学会翻身、坐立、爬行，然后才学会走路、跑步。每一步骤都十分重要，而且需要时间，没有一步可以省略。同样地，人生的各个层面，小到学钢琴，或是与同事相处；大至个人、家庭、婚姻与社会上的种种，莫不如此。

然而，在有形的事物上，我们较能接受"循序渐进"的原则。但在精神领域、人际关系，甚至个人品性上，一般人却不见得能了解这一原则。即使了解，也不一定能够认同或加以实践。于是有人难免想抄近路，企图投机取巧。

但是缩短自然成长与发展的过程，结果如何呢？假设你的网

球技术普通，却想与高手较量，只为了给人深刻的印象，结局不问可知。难道只靠高昂的意志就能帮助你击败职业高手？又假设你琴艺平平，却向亲朋吹嘘有开演奏会的实力，牛皮终有吹破的一天。

想要不劳而获、一蹴而就，不但违反自然，而且寸步难行，只会使你失望，加深挫折感而已。假若拿一个10分的标尺来衡量，若我在任何方面的水平都只有2分，而我想达到5分，那我首先必须向3分迈进。所谓"千里之行，始于脚下"，便是这个道理。

如果学生不肯发问，不肯暴露自己的无知，不肯让老师知道他真正的程度，那么绝对学不到东西，也就不能有长进。而且伪装实非长久之计，总有被拆穿的一天。承认自己的无知往往是求知的第一步。美国文学家及哲学家梭罗（Henry David Thoreau）曾说：

> 如果我们时时忙着展现自己的知识，将何从忆起成长所需的无知？

记得有一次，一位朋友的两个女儿向我哭诉，抱怨她们的父亲太严厉、不知体谅。她们不敢向父母吐露，却迫切需要父母的爱、关怀与教导。

我跟朋友详谈，他承认脾气不好，却不肯为自己的行为负责，更不愿承认修养不够。他的自尊心使他无法迈出改变的第一步。

与配偶、子女、朋友或同事相处，最要紧的就是学习倾听，这需要相当成熟的修养。倾听代表耐心、开放与想要了解对方的诚意，这些都属于成熟的人格。反之，自说自话、不尊重别人却轻而易举得多。

打网球或弹钢琴时，个人的实力往往高下立判，可是品格与情绪的成熟与否就不易分辨。因此，在陌生人甚至同事面前，我们可以伪装得万无一失，一时间不致被拆穿，甚至骗得了自己。但我相信，一般人对自己的人格多半心里有数，旁人也不是傻子。

我看过太多投机取巧却徒劳无功的例子，企业界尤其这样。不少企业主管试图通过强有力的演说、微笑训练、施加压力，或是善意、敌意的购并，来达到提升生产力、士气与改善品质、服务水准等目标。他们虽"购买"了新的企业文化，却忽略了如此玩弄权术，难以建立互信的气氛。而一旦这些手段效果不明显，他们又求助于其他技巧。其实，惟有在自然而循序渐进的基础上，才能发展出高度信赖的企业文化。

多年以前我也犯过同样的过错。在女儿3岁生日的那一天，我一进门就发现气氛不太对劲。她站在客厅角落，手上紧紧抓着礼物，不让其他小朋友玩。面对在场的家长，我觉得分外尴尬，因为当时我正在大学教授人际关系。心想，应该趁此机会教导女儿礼让的观念，这是最基本的价值观之一。

于是我先用命令的方式："宝贝，请把小朋友送的礼物分给大家一起玩，好不好？"

"不！"她毫不犹豫地拒绝了。

接着，我试图跟她讲道理："你现在肯跟小朋友玩玩具，下一次你到他们家，他们也会把玩具让给你玩。"

结果她依然不肯。我觉得很窘，连3岁小孩都管教不好。迫不得已只好贿赂，我轻声对她说："如果你肯让别的小朋友玩玩具，爸爸就给你一个特殊的奖品——一片口香糖。"

34

她大叫:"我不要口香糖。"

这时我也发火了,威胁道:"如果不让出玩具,你看我怎么处罚你!"

女儿哭道:"我不管,这些是我的玩具,我不要跟别人一起玩!"

最后我只好采取强迫手段,硬从她手上抢过一些玩具分给其他小朋友。

或许我的女儿需要先经历拥有的感觉,然后才会心甘情愿地付出。(事实上,如果不曾拥有,又如何付出?)身为父亲的我,情绪应该相当沉稳,知道她需要经历这个阶段。

可是我当时担心其他家长的反应,其程度超过对孩子成长及亲子关系的重视。我只是直觉认定自己是对的,她不肯礼让就是错的。

或许因为我不够成熟,才对女儿做了过高的要求。我缺乏耐心,又未能体谅幼小的心灵,一味期待她懂得礼让。最后只有借重父亲的权威,强迫她照吩咐做。

如此一来反而凸显弱点,因为你必须倚重外力来达到目的。不但阻碍被迫顺从一方的成长,也妨碍其独立判断与自律能力的发展,对彼此的关系弊多于利。结果是畏惧心理取代合作态度,最后双方都流于专断而急于自保。更何况,你所借重的优势——不论是体型、力气、职位、权威、学历、社会地位、外表或是过去的成就——若发生变化甚至消失,又该怎么办呢?

当年如果我更为成熟,就不会诉诸父亲的权威,而会以对礼让观念与儿童成长的了解,并基于爱护与教养子女的立场,让女儿自行决定要不要让出玩具。或许在讲理不成后,我可以带孩子们做个有趣的游戏,转移他们的注意力,也解除女儿心理上的压力。现在我已明白，一旦儿童体会了真正拥有的感觉，自然会乐于与他人分享。

经验告诉我，教导孩子也要因时制宜。在关系紧张、气氛僵硬的时候，教导会被视为是价值判断与否定。但私下相处融洽时，循循善诱，效果极佳。可惜当年我还无法体会这一点。

或许在真正懂得分享之前，需要经历拥有的感觉。许多人对家庭或婚姻只知机械式地付出，不然就是完全不懂得付出；这可能正由于他们从不了解拥有自我的意义，缺乏对自我的认同，而且自我评价低。所以真正有益于孩子的教养方式，应该是以充分的耐心，培养他们拥有的感觉，同时以足够的智慧，教导他们"乐善好施"的价值，并且经常以身作则。

问题的症结在于治标不治本

一般人对于成功的个人、家庭与团体，总是钦羡不已。他们羡慕别人的能干、成熟，家人的团结合作，以及组织的团队精神。但他们真正想知道的却是成功背后的秘诀，向成功者请教的，不外乎如何能够立竿见影、立收解决自身难题的方法。

有这种想法的人，就有能提供这类答案的人。有时候速成的办法还颇管用，可暂时消除一些表象的问题。只是真正的症结依旧存在，久而久之问题又会浮现。而且愈是求助于"特效药"，病症拖得愈久，病情愈加恶化。

现在让我们回顾一下本章刚开始所提到的几个例子。

●我上过无数教导主管如何有效管理的课程，我对员工的期望很高，也想尽办法善待他们，希望维持彼此良好的关系。可是总觉得员工不忠心，我若是有一天生病在家，他们一定会终日无所事事闲扯。为什么不能把他们训练成独立又有责任心的员工呢?为什么我始终找不到这种员工?

对急于想约束员工却束手无策的那位经理,个人魅力论建议他采取激烈的手段,大事整顿一番,逼得员工兢兢业业。或者让员工接受相关的训练,以提高工作热忱,甚至另聘更称职的外来和尚。

但阳奉阴违的员工,私底下可能正质疑着老板究竟有没有为他们着想,有没有把他们当作机器看待。员工的想法也许并非空穴来风,老板心中的确如此看待他们,而主管态度偏差或许就是管理不善的原因之一。

●我要做的事太多了,可是总感到时间不够用。每天都觉得神经紧张、匆匆忙忙。一周7天,天天如此。我参加时间管理研讨会,也尝试过不下6种规划时间的办法,虽然不能说没有帮助,但是仍觉得无法过上理想中的既充实又自在的生活。

对于时间总是不够用的人,个人魅力论保证一定有解决之道,例如各种时间管理的计划与讲座,便是针对需要而设计的。

但你是否想过,提高效率也许并不能解决问题。以更短的时间完成更多的工作,难道真的如此重要,抑或反而会使你对周遭的人与事更为轻忽草率?是否有些事情才是真正值得你深入认识与体会,包括某些思维足以影响你对时间、生命与自我本质的看法?

●我的婚姻已变得平淡无趣。我们并没有恶言相向,甚至大打出手,只是不再有爱的感觉。我们请教过婚姻顾问,也试过许多办法,可是仿佛就是无法重新燃起往日的爱情火花。

对于婚姻已进入平淡期的人，个人魅力论会指点你，某本书或某种课程有助于表达能力，可以增进夫妻感情。或者，就干脆认为这桩婚姻既然已经这样，还不如另起炉灶，以重新享受爱的感觉。

然而也许问题并不出在另一半，是你助长了对方的缺点，间接导致所遭受的待遇。你对配偶、婚姻、爱情的基本观念，可能正是问题的根源所在。

由以上的例子，你是否已察觉个人魅力论如何深入人心，彻底左右着我们对问题的看法以及寻求解答的途径？

不论一般人觉悟与否，总之现在已有愈来愈多的人，对这些空洞的承诺不再存有幻想。我曾与全美各类组织合作，发现目光远大的主管，对只会以动人的故事或空唱高调，来振奋人心、激励成就的作风，都敬而远之。他们要的是实际而循序渐进的办法，不是阿斯匹灵与急救箱式的建议。他们希望解决长久的根本问题，并且把重心放在有长远未来的原则上。

反求诸己，由内而外

著名科学家爱因斯坦曾说：

重大问题发生时，依我们当时的思想水准往往无法解决。

当我们环顾四周、审视内心，发现因追求速成特效反而制造了许多问题之后，才会了解，有些根本的问题不能以肤浅的方式解决。因此我们需要更深入的新思想标准，也就是一套正确的行为准绳，引导我们解决根本的问题、追求圆满的人生。这种新的思想标准，也就是高效能人士的七个习惯，它强调以原则为中心，以品德为基础，以及能达到个人效能和人际效能(interpersonal effectiveness)的"由内而外"的修炼。

"由内而外"(inside – out)即反求诸己，由个人最基本的部分——思维、品德与动机——做起。

如果你想拥有美满的婚姻，那么就做一个能产生助力而非阻力的人，不要一味强求对方。如果你希望青春期的子女更听话，更讨人喜欢，那么先做个言行一致、充满爱心且懂得体谅的父母。如果你希望在工作上享有更多自由与自主，那么先做个更负责尽职的员工。如果你希望获得信任，那么先做个值得信任的人。如果你希望才华不被埋没，那么先修养自己的基本品德。

由内而外的修炼强调，先追求个人的成功，才能有人际关系的成就；先信守对自己的承诺，才能信守对他人的诺言。凡是以个人魅力重于品德，或者不能由个人修养做起，而期望改善人际关系，都将徒劳无功。

由内而外是一个过程，是遵循主宰个人成长进步的自然法则，不断精益求精的过程。它会形成良性循环，把我们提升到自立自强与相互依存的更高境界。我曾与许多才华横溢且渴望幸福成功的人共事，其中包括企业主管、大学生、宗教与民间团体人士、夫妇。从我与他们接触的经验证实，求助于外力所得到的幸福、成功或解决问题之道，往往经不起考验。

这种由外而内的观念，往往使人产生怨怼的心理，眼中只看到别人的缺点或致使彼此关系不和的客观环境。我见过一些婚姻亮起红灯的夫妇，夫妻俩都只希望对方改变，都忙着揭发对方的"罪状"，都希望控制对方。我也经历过一些劳资纠纷，双方宁可耗费大量时间精力，订下种种规章彼此约束，但事实上谁也不信任谁。

我的家人曾住过世上三个最"热闹"的地方——南非、以色列与爱尔兰。这些地区的冲突始终悬而未决,我相信必然是因为社会大众不能反求诸己。每一方都认为问题是别人造成的,如果"别人"能够"讲理"或突然"消失",问题自然就解决了。

至于我们所提倡的反求诸己、由内而外的思维,因为个人魅力论的流风所及,再加上传统观念影响,因此当事人往往需要大幅度的自我调适才能转换思维。

其实从我自身以及与人共事的经验,再加上仔细观察历史的心得,我确信本书的七个习惯早已深入人心,它们所涵盖的原则符合一般人的良知与常识。但是为了要确认这些原则,并加以发挥来解除内心深处的困惑,我们必须改变想法,转换思维,提升自我到一个"由内而外"的新境界。

当我们认真了解这些原则,并将之融入生活,我相信美国诗人艾略特(T. S. Eliot)这句名言就会不断涌现真义:

我们必不可停止探索,而一切探索的尽头,就是重回起点,并对起点有首次般的了解。

第二章

七个习惯——概论

习惯对我们的生活有绝大的影响，因为它是一贯的。在不知不觉中，经年累月影响着我们的品德，暴露出我们的本性，左右着我们的成败。

人的行为总是一再重复。因此卓越不是单一的举动，而是习惯。

——亚里斯多德(Aristotle)，古希腊哲学家、文艺理论家

人的品德基本上是由习惯组成的。俗语说：

思想决定行动，行动决定习惯，习惯决定品德，品德决定命运。

习惯对我们的生活有绝大的影响，因为它是一贯的。在不知不觉中，经年累月影响着我们的品德，暴露出我们的本性，左右着我们的成败。

美国著名教育家曼恩(Horace Mann)曾说："习惯就仿佛一条缆绳，我们每天为它缠上一股新索，不要多久就会变得牢不可破。"这句话的后半段我不敢苟同，我相信习惯可以养成，也可以打破，但决不是一蹴而就，而是需要长期的努力和无比的毅力。

太空人搭乘阿波罗 11 号太空船(Apollo 11)，首次登陆月球

的刹那，的确令人叹为观止。但太空人得先摆脱地球强大的引力，才能飞往月球。因此在刚发射的几分钟，也就是整个任务一开始的几英里之内，是最艰难的时刻，所耗的力量往往超越往后的几十万英里。

习惯也是一样，它具有极大的引力，只是许多人不加注意或不肯承认罢了。想要革除因循苟且、缺乏耐心、吹毛求疵或自私自利等不良习性，若是缺乏意志力，不能大刀阔斧地改革，便难以实现目标。"起飞"需要极大的努力，然而一旦脱离重力的牵绊，我们便可享受前所未有的自由。

习惯的引力就如同自然界所有的力量一般，可以为我们所用，也可能危害我们，关键看我们如何运用。不过，习惯或许一时有碍于达成目标，但也有积极的一面。宇宙万物各循轨道运行，彼此保持一定的秩序，毕竟也都有赖于引力的作用。所以只要我们善于运用习惯的庞大引力，就能使生活有重心、有秩序、有效率。

43

"习惯"的定义

本书将习惯(habit)定义为"知识"、"技巧"与"意愿"三者的混合体。

知识是理论性的观念，指点我们"做什么"及"为何做"。技巧是指"如何做"。意愿则是"想做"，表示我们有付诸行动的愿望。要培养一种习惯，这三项要素缺一不可。

假设我与同事、配偶或女儿相处得并不融洽，因为我总是只愿表达自己的意见，从不肯倾听。除非我有心改善人际关系，设法了解正确的待人接物之道，否则我可能根本不"知道"我必须聆听。即使知道了，也不见得明了该"如何"去倾听。但知道应

图2-1　　　习惯的建立（内在原则与行为模式）

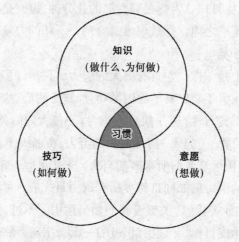

该聆听，也懂得倾听的技巧，还远远不够。除非我真想听、有这个意愿，否则依然无法养成习惯。因此习惯的培养需要这三方面的配合。

前面曾提到，要提升自我必须先从思维着手。思维一旦改变，对外界的看法自然不同，而且又会回过头来影响自我，形成一个良性循环。所以我们应该从知识、技巧与意愿三方面努力，突破旧有思维的束缚，使个人与人际关系都能更上一层楼。

改变习惯的过程可能很不好受，毕竟习以为常的事物比较能给人安全感。但为追求一生的幸福与成功，暂时牺牲眼前的安适与近利，也是值得的。经过一番努力与牺牲所换来的果实，将更为甜美。

成熟模式图：成长三阶段

本书所提出的七个习惯是相辅相成、一气呵成的。借着培养这些习惯，我们可以循序渐进，由依赖而独立，再由独立进而互赖。

人类在幼年时期必须完全仰赖他人，经由长辈的引导与养育而成长。但随着光阴的流逝，我们日渐独立。生理、心理、情感与经济能力等方面，都不断成长，直到有一天终于能够完全自立。

但这并不表示成长就到此为止。在不断提升自我的同时，我们可以体会宇宙万物唇齿相依的关系。包括人类社会在内，整个大自然共享着一个生态体系，个人无法离群索居。大凡人类较高层次的心智活动都与人际关系有关，就是明证。

由婴儿以致于成人，是人生必经的历程。只不过成长涵盖许多层面，例如生理上发育完全并不意味着心理或情感同样成熟。相同地，生理上有缺陷，也不代表心理不成熟。

所谓"成熟模式图"（maturity continuum），即人类成长的三个阶段，分别为依赖期、独立期、互赖期。

●依赖（dependence）期：围绕着"你"这个观念——你照顾我；你为我的成败得失负责；事情若有差错，我便怪罪于你。

●独立（independence）期：着眼于"我"的观念——我可以自立；我为自己负责；我可以自由选择。

●互赖（interdependence）期：从"我们"的观念出发——我们可以自主、合作、统合综效，共创伟大前程。

依赖心重的人，靠别人来完成愿望；独立自主的人，自己打天下；互赖的人，群策群力以达成功。

如果生理上无法自立，例如身体有残缺，便需要别人的帮助。假使情感不能独立,价值观与安全感建立在别人的评价上,一旦无法取悦别人,个人便失去价值。若是知识上无法独立,就得依赖旁人代为思考,解决生活中的大小问题。

相反地,生理上独立的人可以畅所欲为;心智上独立的人可以有自己的思想,兼具抽象思考、创造、分析、组织与表达的能力;情感上独立的人能够肯定自我,不在乎外界的毁誉。

由此可见,独立比依赖成熟得多,不过独立并非个人成长的极致。只可惜当前的社会价值观将独立奉为圭臬,大多数励志修身的书籍与文章都过分强调独立,仿佛沟通、团队精神并不重要。其实这多半是对依赖观念的矫枉过正,为避免受制于人而反抗。

至于互赖的观念则经常受到误解,很多人把它跟依赖混为一谈,无怪乎我们往往见到有人为了自私的理由,抛弃妻子,不负责任,却都假借独立的名义。

有些人虽宣称要"摆脱桎梏"、"追求解放"、"坚持自己的权利"、"做自己的事",其实这种行径正暴露出若干摆脱不掉的依赖心理,他们情愿让他人的缺失左右自己的情绪,或是总把自己的遭遇怪罪于外界的不公平。

当然,我们所处的环境的确有值得改进的地方,但依赖心态是个人成熟与否的问题,与环境无关。即使客观条件再好,有人永远是扶不起的阿斗。

拥有真正独立人格的人,能够事事主动积极,而非受制于人。这种境界的确值得追求,但并非圆满生活的终极目标。

只重独立并不适于人我息息相关的现代生活。一个人若缺乏互赖观念,难以与人相处共事,充其量只能独善其身;永远无法成为出色的领袖或团队的一分子,也不会有美满的家庭、婚姻与团体生活。由此可知,个人无法离群索居,想要独自追求圆满人生,无异于缘木求鱼。

互赖是一个相当成熟进步的观念。生理上互赖的人,可以自给自足,但也了解互助能发挥更大的作用。情感上互赖的人,完全肯定自己的价值,但也承认需要爱、关怀以及付出。知识上互赖的人,取人之长,补己之短。总言之,一个互赖的人,能够与人分享内心真正的感受,做有意义的交流,也能共享别人的心得。

但在此必须强调,只有独立的人才能达到互赖的境界,依赖的人还不具备足够的条件。因此,以下数章讲述的习惯,是七个习惯中的前三个,着重在如何修养自己,由依赖进而独立。这些习惯属于"个人的成功"(private victory)的范畴,是培养品德的基础。而个人的成功一定先于公众的成功,就如同播种、耕耘与收成,次序无法颠倒。就个人而言,则是先内省而后外显。

真正的独立是培养良好互赖关系的基础,凭借此基础,我们可以致力于第四、五、六个习惯所涵盖的团队精神、合作与沟通,追求"公众的成功"(public victory)。

不过,本书如此安排并不表示前三个习惯与后三个各自独立,互不关联。

其实它们可以兼容并蓄,我们如此排列是为了帮助读者了解与实践。

至于第七个习惯,则涵盖了其他六个习惯,赋予其新生命,督促我们日新又新,永无止境。

图 2 - 2 标示了这七个习惯与三个成长阶段的关系,以下各章我们仍将谈到这个图表,以及七个习惯如何相互激荡,发挥出更大的效果。

47

"有效性"的定义

本书介绍的七个习惯最合乎效能原则,且效果最为持久。它们能帮助你更有效地解决问题、把握机会以及吸收最多的正确观念。

我对"效能"(effectiveness)所下的定义是——"产出与产能必须平衡"(P/PC balance)。伊索寓言中有则鹅生金蛋的故事,正足以说明这个常遭人忽视的原则。

这则故事是说,一个农夫无意间发现一只会生金蛋的鹅,不久便成了富翁。可是财富却使他变得更贪婪更急躁,每天一个金蛋已无法满足他,于是农夫异想天开地把鹅宰杀,企图将鹅肚子里的金蛋全部取出来。谁知打开一看,鹅肚子里并没有金蛋,鹅却死了,再也生不出金蛋。

这则寓言是效能观念一个很好的例证。一般人往往从金蛋的角度来衡量效率,也就是产品愈多,效能愈高。可是上面的故事却告诉我们,效能包括两个要素,一是"产出"(production)即金蛋,也就是你希望获得的结果;一是"产能"(production capability)即鹅,也就是你借以达到目标的资产或本领。

仅重视金蛋,无视于鹅的人,结果会连产金蛋的资产本身都保不住。反之,"重鹅轻蛋"的人,最后可能养不活自己,更不用说鹅了。因此,产出与产能必须平衡才能达到真正的高效能。

个人的效能观

人类所拥有的资产,基本上可分为人力、物力及财力三大类。

数年前我曾经买过一项物质资产——电动割草机。我经常

图2-2   七个习惯与三个成长阶段的关系

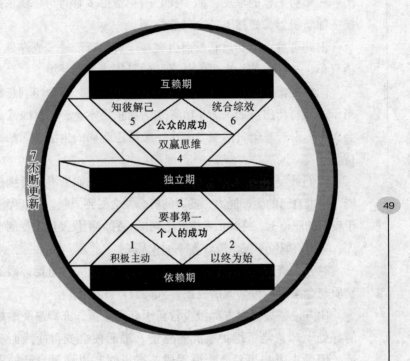

使用,却从不保养。前两季还没有问题,到第三季就出故障了。这时我才着手维修,可是已经太迟,引擎只剩下不到一半的马力,可以说成了一堆废铁。

如果我及早开始保养这项资产,那么现在还能享受它的产出——修剪平整的草皮。如今我必须花费更多时间与金钱来更换一部新机器,显然不符合效能原则。

由此可见,急功近利反而会破坏珍贵的资产——或许是一辆汽车、一部电脑,也可能是自己的身体或自然环境。

同样的情形也适用于金融资产。举例来说,本金与利息相当于产能与产出。如果为了改善生活而重用本金,利息收入就会减少,财产总值自然随之缩水,最后连起码的生活都无法维持。

我们最宝贵的金融资产就是赚钱的本领。如果不能持续投资,增进自己的生产能力,发展的机会便会受到限制,只能停滞于现有的职位上,终日忙着揣摩上司的心意。不仅经济上受制于人,又担心职位不保,最后落得一事无成。

对人力资产而言,产出与产能之间的平衡尤为重要。因为物质与金融资产可为人所控制,人力资产则不能。

比方说,夫妻双方都汲汲营营于获得金蛋,亦即享受婚姻的好处,却忽略了维护彼此的感情,最后便会变得冷淡而疏远。因为夫妻如果只急于耍手段、操纵对方以满足自己的需要;或是忙着为自己辩护与挑剔对方的缺点,相爱的感觉及亲密的关系自然会衰退,就好比鹅的病情一天比一天恶化。亲子关系是否也会演变到这种地步呢?子女年幼时,必须完全依赖父母,缺乏自主能力。这时候父母很容易忘却教养、沟通、倾听与感情交流——即亲子关系的产能——的重要性,而以优势的地位来操纵子女，实现自身的愿望。父母往往因过于重视产出而纵容与讨好子女。在此环境下长大的儿童多半不懂规矩，缺乏责任感。

不论权威式还是纵容式的管教，基本心态都是偏重金蛋。父母只在乎孩子是否照着他们自己的意思行事，或能不能讨好子女。至于鹅，也就是孩子未来的责任感、纪律感以及自信心，似乎就无关紧要了。等到子女进入关键性的青春期，产生认同危机之后，过去与父母相处的经验——父母是否不带批判地倾听，是否真心地关怀等等——将决定父母能否与子女亲近、沟通，甚或影响子女的行为。

举例来说，你要求女儿保持房间整洁，这是你希望得到的产出——金蛋。而你的女儿就是产能——那只鹅。如果她觉得你的要求并不过分，便会心甘情愿地整理自己的房间，无须旁人催促，因为她知道许下承诺就不应食言。这时她是一项可贵的资产，一只会生金蛋的鹅。

但是如果你只问房间是否整洁，毫不顾虑她的感受。那么即使频频唠叨，甚至以威胁、吼叫迫她就范，也是徒劳无功。因为你忽略了鹅的需要与福祉，它自然不会生金蛋了。

关于产能，我和我的一个女儿有一些有趣的经验。有一回，我们计划单独呆上一天，我对她说，"宝贝，今晚是属于你的，你想做什么？"

"噢，不用了。"她回答说，"我想做的，你不见得就想。"

"我希望做你想做的，不管你想做什么。"我诚恳地说。

"我想看《星球大战》，可我知道你并不喜欢这类科幻片。过去你看时，从头睡到尾。算了吧。"

"不，宝贝，如果你想看，我会愿意看的。"

我们去了。她坐我身边，给我讲解。我成了她的学生，她的听众。

这不是有计划的产出经验；这是产能投资的偶然成果。但是我们也得到了金蛋，因为鹅——父女关系的质量——养得很好。

团体的效能观

任何正确的原则最可贵的地方，就在于可以适用于各种不同的状况。本书所提到的每个原则，不仅适用于个人，也适用于团体(包括家庭)。

产出与产能平衡的原则，在团体生活中如何运用呢？假使组织成员运用物质资产时，不尊重平衡的原则，便会降低效能，而且往往遗祸继任者。

譬如某人负责管理一部机器。为了讨好上司，便把产能发挥到极致，从不维修，任由机器日夜运转。结果产量提高，成本大幅降低，利润因而激增。由于公司此时正在迅速扩张，升迁机会多，所以不久他就获得晋升，得到了金蛋。

但如果你接替他的职位，接收到手的却是一只病鹅，你必须加倍维修，给予机器喘息的机会。结果成本飞涨，利润剧降，这些损失会算到谁的账上呢？当然是你。你的前任者破坏了这项资产，但会计账簿上却只列出产量、成本与利润。

再谈到人力资源。产量与产能平衡的原则，对一个团体的人力资产——即顾客与员工——的运用更为重要。

我认识一家以蛤蜊浓汤叫座的餐厅，每天中午都高朋满座。可是后来餐厅转手，新老板认为利润重于一切，于是在浓汤中掺水。第一个月的确大发横财,因为成本降低,顾客却依然捧场,但是渐渐地顾客不再上当。失去了顾客的信任,这家餐厅最后终于门可罗雀。即使此时老板想重新回头,可惜已失去宝贵的资产——顾客的信任,会生金蛋的鹅不再存在了。

有些公司虽强调顾客至上,却完全忽略为顾客服务的员工。我的建议是:"你希望员工如何对待顾客,就如何对待员工。"

因为你可以收买一个人的双手,却买不到他的心,而心才是忠诚与热忱的根源。你也可以收买一个人的形体,却买不到他的头脑,而头脑才是创造力与才华智慧的大本营。重视人力资产的主管,应该把员工和顾客当作自愿工作者一般好好对待,因为他们确实是心甘情愿地奉献可贵的心智与忠诚。

在一场讨论会上,有人问:"对懒散与表现欠佳的职员,该如何整顿?"一位仁兄回答:"投几颗手榴弹!"有些人颇附和这种强势管理的主张——"不争气就淘汰"。

可是接着又出现下面的回答:

"谁来收拾残局呢?"

"不会有残局。"

"那你何不用同样的方式对待顾客:'如果不想买就滚蛋吧!'"

"那怎么可以这样对待顾客?"

"那为什么可以这样对待员工?"

"因为他们是我雇来的。"

"原来如此。请问你的员工是否忠心耿耿、勤奋工作?流动率大不大?"

"别开玩笑了,现在根本找不到好帮手。人人都想请假、兼职、跳槽,对公司毫不在乎。"

像这种只重金蛋的态度,实在难以激发员工的潜能。眼前的盈余固然重要,但却不应凌驾一切之上。

过分重视产出,会破坏健康、耗损机器、降低银行存款及危害人际关系。但太过维护产能,就如同一个人每天长跑三四个小时,满以为可以因此多活 10 年,但不知其实正在透支生命。又好像有些人,不断念书却从不事生产,只知坐享别人的金蛋,永远不敢面对现实世界。

惟有产出与产能取得平衡,才能达到真正的效能。虽然你常会因此面临困难的抉择,但这的确是效能原则的精髓所在。日常生活中,足以印证这个道理的例子俯拾即是。譬如你是否曾因想多做点事情,熬夜不眠,结果却弄得精疲力竭,甚至身体不适?反之,若是好好睡一觉,则第二天精力充沛,可以做更多的事,并准备迎接一天的挑战?

或者,有时别人虽屈服在你的压力下,你的内心却仍感到空虚。这时候倒不如开诚布公,努力经营人际关系,反而能赢得信任与合作。

产出与产能平衡是有效性的精髓,放之四海而皆准。它是灯塔,也是本书阐述的七个习惯的基础。

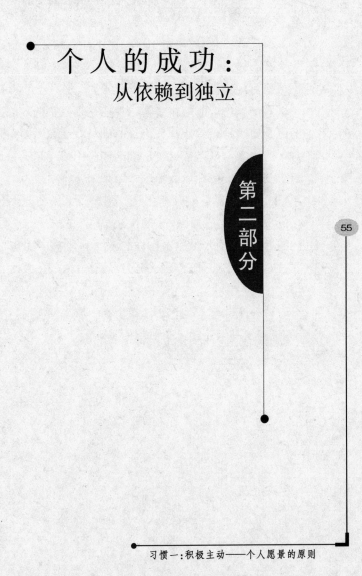

个人的成功:
从依赖到独立

第二部分

习惯一:积极主动——个人愿景的原则

第 三 章

习惯一：积极主动
——个人愿景的原则

人性本质是主动而非被动的，不仅能消极选择反应，更能主动创造有利环境。

采取主动并不表示要强求、惹人厌或具侵略性，只是不逃避为自己开创前途的责任。

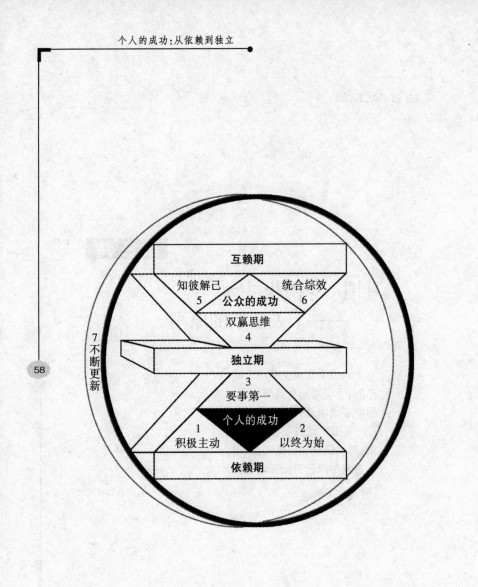

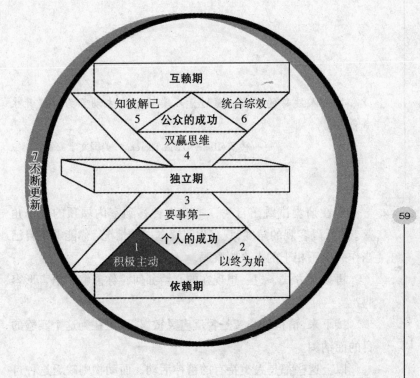

最令人鼓舞的事实，莫过于人类确实能主动努力以提升生命价值。

——梭罗（Henry David Thoreau），美国文学家及哲学家

现在请尝试跳出自我，把意识转移到室内屋顶的某个角落。然后以客观的角度，观察你阅读本书的情况。你能够把自己当作一个不相干的人来观察吗？

再换个方式，想一想现在的心情如何，你能够用语言形容吗？

接下来，请检讨心智是否反应灵敏，是否正在为这个实验的目的而纳闷。

以上这些都是人类特有的精神活动，而动物则缺乏这种自觉（self – awareness），也就是自我觉察的能力。这是人之所以为万物之灵，以及能够不断进步的关键；同时也是我们能从经验中汲取教训，并且改善习性的根本缘由。

凭借自觉意识，我们可以客观检讨我们是如何"看待"自己——也就是我们的"自我思维"（self – paradigm）。所有正确有益

的观念都必须以这种"自我思维"为基础,它影响我们的行为态度以及如何看待别人,可说是一张属于个人的人性本质地图。有了这种认识之后,将心比心,我们也就不难体会他人的想法。否则难免会以己之心度人之意,以致于表错情会错意。幸好人类独有的自我意识,使我们能够检讨自己的自我思维究竟确实发自内在,还是来自社会的制约与环境的影响。

社会眼中的我

如果我们对自己的惟一想象来自"社会眼中的我"(social mirror)——依照时下流行的价值观以及四周人群的看法来衡量自己,那么所看到的景象就仿佛是从哈哈镜里反射出来的自己。

"你从不守时。"

"你为什么不能保持整洁?"

"你准是一名艺术家!"

"你真能吃!"

"我不相信你会赢!"

"这么简单的事,你都弄不懂。"

然而,这些支离破碎的评语不见得代表真正的你,充其量不过反映说话者自身的想法与缺点而已。

目前一般人都认为,人性是环境与制约作用的产物。的确,制约作用对人的影响极大,前面我们也提到这一点。但若认为人的意志无法克服社会制约,未免错得离谱。

不过这类"决定论"相当盛行,可分为三大类:

一、基因决定论(genetic determinism):认为人的本性是祖先遗传而来。你的脾气不好,那是因为祖父母就是这样,借着基因承袭到你身上。

二、心理决定论（psychic determinism）：强调你的个性是父母种下的因。父母的教养方式与童年的经验，造就了今日的你。你从不敢强出头，因为从小爸妈告诫不可以这样。你每次犯错都内疚不已，因为你忘不了小时候表现欠佳所受到的排斥与心理伤害，以及被拿来与别人比较的感受。

三、环境决定论（environmental determinism）：主张环境决定人的本性。周遭的人与事，例如老板、配偶、子女，或者经济状况、国家政策，都可能是影响因素。这种理论是根据俄国心理学家巴甫洛夫（Ivan Petrovich Pavlov）以狗为实验，所得出的"刺激—回应"理论。也就是我们对某一刺激的回应，受制约作用所左右。这些理论是否正确，是否能自圆其说，有待商榷。

选择的自由

要回答上述疑问，请先看弗兰克尔（Victor Frankl）的感人事迹。

他是一位受过弗洛伊德（Sigmund Freud）心理学派洗礼的决定论者。这个学派认为一个人的本性在幼年时期即已定型，而且会左右一生，日后改变的可能性微乎其微。弗兰克尔由于身为犹太裔心理学家，二次大战期间被关进纳粹（Nazi）死亡营，遭遇极其悲惨。父母、妻子与兄弟都死于纳粹魔掌，惟一的亲人只剩下一个妹妹。他本人则受到严刑拷打，朝不保夕。

有一天，他赤身独处于囚室，忽然之间意识到一种全新的感受。日后他将此感受命名为"人类终极的自由"（the last of the human freedoms），当时他只知晓这种自由是纳粹军人永远无法剥夺的。在客观环境上，他完全受制于人，但自我意识却是独立的，超脱于肉体束缚之外。他可以自行决定外界的刺激对自身的影响程度。换句话说，在刺激与回应之间，他发现自己还有选择如何回应的自由与能力。他在脑海中设想各式各样的状况。譬如说，获释后将如何站在讲台上，把这一段痛苦折磨学得的宝贵教训，传授给学生。

凭着想象与记忆，他不断锻炼自己的意志，直到心灵的自由终于超越了纳粹的禁锢。这种超越也感召了其他的囚犯，甚至狱卒。他协助狱友在苦难中找到意义，寻回自尊。

处在最恶劣的环境中，弗兰克尔运用难得的自我意识天赋，发掘人性最可贵的一面，那就是人有"选择的自由"(freedom to choose)。这种自由来自人类特有的四种天赋。除自我意识外，我们还拥有"想象力"(imagination)，能超出现实之外；有"良知"(conscience)，能明辨是非善恶；更有"独立意志"(independent will)，能够不受外力影响，自行其是。

其他动物智慧再高，也不具有上述的禀赋。以计算机来作比喻，动物的程序是由本能与训练设定，而且已经定型，无法更改。人类却可自创程序，完全不受本能与训练所约束。

因此，动物的能力有限，人类却永无止境。但是生而为人，如果也像动物一样，只听命于本能及后天环境的影响，发展自然极其有限。

决定论所依据的观念主要来自对动物的研究，虽然在学理上有其价值，但人类历史以及自我意识都证实，这类的人性地图根本不确实。

"积极主动"的定义

弗兰克尔在狱中发现的人性典则，正是追求圆满人生的首要准则——"积极主动"(be proactivity)。

这个英文字如今经常出现在管理方面的著作里，但大部分字典都查不到。它的涵义不仅止于采取主动，还代表人必须为自己负责。个人行为取决于自身，而非外在环境；理智可以战胜感情；人有能力也有责任创造有利的外在环境。

责任感是一个很重要的观念，能够积极主动的人深谙其理，因此不会把自己的行为归咎于环境或他人。他们待人接物是根据自身原则或价值观做有意识的抉择，而非全凭对外界环境的感觉来行事。

积极主动是人类的天性，如若不然，那就表示一个人在有意无意间选择消极被动(reactive)。消极被动的人易被自然环境所左右，在秋高气爽的时节里，兴高采烈；在阴霾晦暗的日子，就无精打采。积极主动的人，心中自有一片天地，天气的变化不会发生太大的作用，自身的原则、价值观才是关键。如果认定工作品质第一，即使天气再坏，依然不改敬业精神。

消极被动的人，同样也受制于社会"天气"的阴晴圆缺。如果受到礼遇，就愉快积极，反之则退缩逃避。心情好坏建立在他人的行为上，别人不成熟的人格反而是控制他们的利器。

理智重于情感的人，则经过审慎思考，选定自己的原则、价值观，作为行为的原动力。他们与感情用事、陷溺于环境而无法自拔的人截然不同。

不过，这并不表示积极主动的人对外来的刺激无动于衷。他们对外界的物质、精神与社会刺激仍会有所回应，只是如何回应完全掌握在自己手中。

美国小罗斯福总统的夫人 (Eleanor Roosevelt) 曾说："除非你同意，任何人都不能伤害你。"以印度民族主义者和精神领袖圣雄甘地(Gandhi)的话来说就是："若非拱手让人，任何人无法剥夺我们的自尊。"因此，令人受害最深的不是悲惨的遭遇，而是"默许"那些遭遇发生在自己的身上。

这个观念一时的确令人难以接受，对习于怨天尤人者尤其如此。但只有真心接纳"昨日之我选择了今日之我"的观念，否则"选择的自由"便成空谈。

有一回我在萨克拉门托(Sacramento)演讲，主题正是"积极主动"。讲到一半时，听众里一位女士突然站起来大声喧哗，引起不少人侧目。她自觉不好意思，才勉强坐回座位。可是依旧按捺不住，又向周围的人大发议论，神情看来相当愉快。

我不禁想听听她的高见。等不及讲到一个段落，就暂时打住，改请她上台来，与大家分享心得。她终于有了一吐为快的机会：

你们绝对想象不到我的心路历程！我是一个护士，我负责看护过一个可能是世上最挑剔、最难侍候的病人。他从来没有一句感激的话，反而处处找碴，处处作对，使我每天都过得很痛苦，然后又不由自主地把痛苦发泄在家人身上。其他护士也有同感，我们简直就希望他早点死。

而你居然站在台上大谈积极主动，说什么未得我同意，谁也不能把我怎么样。难道我的痛苦都是自找的?!这观念委实令人难以接受。

可是我仍然不断地玩味这番话，一直探索到内心最深处。我自问：我真有能力选择自己的回应吗？

终于我发现自己的确有这个能耐，在硬生生吞下这苦涩的良药，并承认痛苦是自己选择的之后，我体认到人可以选择不要

图 3 – 1

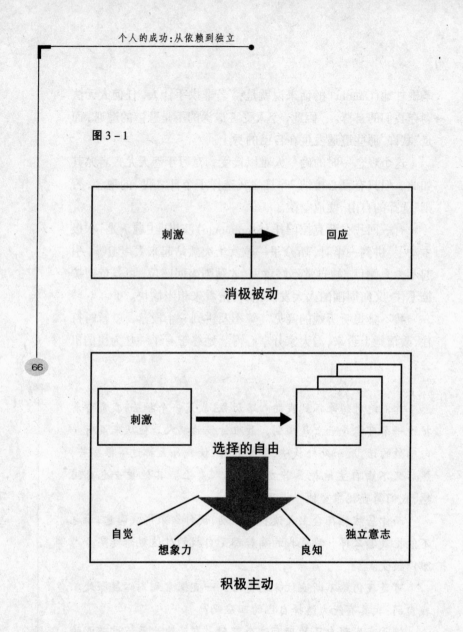

痛苦。

那一刻我站了起来，只觉得自己像个重生的犯人，想向全世界宣言："我自由了！我摆脱了牢笼！不再受制于别人给我的待遇。"

由此可见，不幸的遭遇固然会使人身心受伤，但是基本人格可以不受影响。愈是艰难痛苦的经验，反而愈能砥砺志节，坚强意志，提升面对未来考验的勇气，甚至于感召他人。

前面提到的弗兰克尔就是一个好例子。这类在逆境中坚忍不拔的事例不胜枚举；或许是罹患重病，或许是严重残障，却因精神力量而受人钦佩，给人启示。这种超越痛苦、超越环境、发挥人性光辉的经历，的确发人深省。

我与桑德拉就拥有过这么一位朋友卡罗，她是我们结婚时的伴娘，与桑德拉相交 25 年以上，交情匪浅。可惜卡罗得了癌症，不久于人世。即使如此，她依然异常坚强，尽量不吃止痛药，以便能完全控制自己的心智与情绪。为了替子女未来的每个成长阶段留下一些感言，尽管十分虚弱，她还是设法对着录音机，或直接向桑德拉口述她的一生。桑德拉每每为这份勇气与苦心感动不已。

卡罗的不畏艰难、勇往直前及爱心，使许多人都受到感召与启发。我永远忘不了，她过世前一天，我在她眼中所发现的人性光辉。

多年来，我常在许多场合做小规模的调查，看看有多少人曾自临终者身上体会到类似的经验，通常有这类经验的约占 1/4。若再追问，这段历程是否令人永难忘怀，以致会暂时产生"有所作为的人都应该这样"的感慨，这 1/4 的人在这个时候都有同感。

弗兰克尔曾指出人生共有三种重要的价值,一是经验价值(the experiential value),来自遭遇;二是创造价值(the creative value),出自个人独创;三是态度价值(the attitudinal value),也就是面临困境,如罹患绝症时的反应;这三种价值中,境界最高的是态度价值。依我多年的经验证明,这种说法的确有道理。

逆境往往能激发思维的改变,使人以全新的观点去看人与事,进而审视自己与生命的意义;并由此获得难能可贵的见地,令人感动不已。

采取主动

人性本质是主动而非被动的,不仅能消极选择反应,更能主动创造有利环境。

采取主动并不表示要强求、惹人厌或具侵略性,只是不逃避为自己开创前途的责任。

我经常劝导有意更上一层楼的人,加倍积极进取,不妨做爱好和能力的测验,研究适合从事的行业。甚至设法打听试图加入的机构正面临何种难题,然后以有效的表达方式,向对方证明自己能够协助他们解决问题。这叫做"顾问式销售"(solution selling),是事业成功的主要诀窍之一。

通常前来咨询的人都不否认,这么做的确大有助于求职、晋升,只是一般人都找出各种借口,不肯采取必要的步骤,主动开创机会。

"怎么打听某行业或某家公司的困境呢?谁肯帮我?"

"我不知该到哪儿去做爱好和能力的测验。"

"我想不出来该如何表现自己。"

太多人只是坐等命运的安排或贵人相助,事实上,好工作都是靠自己争取而来的。在我家,任何人都别想推卸责任,让别人替他设法收拾残局。即使孩子年纪还小,我照样要求他们:"自己想办法。"而家人也已习惯这种作风。

要求责任感并非贬抑,反而是一种肯定。主动是人的天性,尊重这种天性,至少可提供对方一面镜子,以便清晰且未扭曲地反映自我。

由于个人的成熟度不同,对尚处于情绪依赖阶段的人,不必期望太高。但至少可创造有利的气氛,逐渐培养他的责任感。

化消极为积极

积极主动与消极被动有天壤之别,尤其再配合聪明才智,差距就更远了。

想要生命的产能与产出平衡,进而追求圆满人生,主动精神实在不可缺少。因此本书其余六个习惯,都是以积极主动的精神为后盾。每个习惯都仰赖你积极主动,如果你消极等待,你就会受制于人,一旦受制于人,发展与机会便不会降临。

我曾经参加过某个行业的每季业绩检讨会,记得当时正值景气落入谷底,那一行所受的打击尤其大。因此会议一开始,各厂商的士气都很低落。

第一天的会议主题是该行业的现况。许多业者表示,不得不裁掉熟识的员工,以维持企业的生存。结果会后,每个人都比会前还要灰心。

第二天讨论该行业的未来,主题围绕着日后左右其发展的因素。议程结束时,沮丧的气氛又深一层,人人都认为景气还会更加恶化。

到了第三天,大家决定换个角度,着重于积极主动的做法:"我们将如何应对?有何策略与计划?如何主动出击?"于是早上商讨加强管理与降低成本,下午则筹划如何开拓市场。以脑力激荡方式,找出若干实际可行的途径,再认真讨论。结果为期3天的会议结束时,人人都士气高昂,信心十足。

这次会议的结论是:

一、本行业目前的情况并不好,未来的趋势显示短期内还会更恶化。

二、但我们采取正确的对策,改进管理,降低成本,并提高市场占有率。

三、因此,这个行业的景气会比过去都好。

积极主动又与积极思考有所不同。积极主动不仅承认现实,也肯定人有权选择对现实环境做出积极回应。

任何团体,包括企业、社会团体及家庭,都可以汇集各个成员的聪明才智,对环境主动出击,以达成群体的共同目标,建立积极主动的企业文化。

不要说"我办不到"

我们可以利用自我意识检讨自身的观念,以言语为例,它颇能真切反映一个人对环境的态度。

习惯于消极被动的人,言语中就会流露出推卸责任的个性。例如:

"我就是这样。"仿佛是说:这辈子注定改不了。

"他使我怒不可遏!"意味着:责任不在我,是外力控制了我的情绪。

"办不到,我根本没时间。"又是外力控制了我。

"要是某人的脾气好一点",意思是:别人的行为会影响我的效率。

"我不得不如此。"意味着:迫于环境或他人。

言语态度对照表:

消极被动

● 我已无能为力

● 我就是这样一个人

● 他使我怒不可遏

● 他们不会接受的

● 我被迫……

● 我不能

● 我必须

● 如果

积极主动

● 试试看有没有其他可能性

● 我可以选择不同的作风

● 我可以控制自己的情绪

● 我可以想出有效的表达方式

● 我能选择恰当的回应

● 我选择

● 我情愿

● 我打算……

有一次有位学生向我请假，因为他想随网球队到外地比赛。

我问他："你是自愿，还是不得不去？"

"我真的没办法不去。"

"不去会有什么后果？"

"他们会把我从校队中剔除。"

"你希望有这种结果吗？"

"不希望。"

"换句话说，你为了想待在校队所以要请假，可是缺了我的课，后果又如何呢？"

"我不知道。"

"仔细想一想，缺课的自然后果是什么？"

"你不会开除我吧？"

"那是社会后果，是人为的。反之，不能加入网球队，就不能打球，那是自然后果。缺课会有什么自然后果？"

"我想大概是失去学习的机会。"

"不错，所以你必须两相权衡，做个决定。我知道，换了我，也会选择网球队，但请决不要说你是被迫这么做。"

最后这个学生当然还是参加比赛，但却是出于自己的选择。

行动胜过"感觉"

推诿责任的话语往往会强化宿命论。说者一遍遍被自己洗脑，变得更加自怨自艾，怪罪别人的不是、环境恶劣，甚至与星座也有关系。

我曾碰到过这么一位男士，他说：

72

"你说得很有道理，可是每个人的状况不同。你看我的婚姻，我和太太已经失去了往日那种感觉，我真的很担心，或许我们已不再相爱，这该怎么办？"

"已经不再有爱的感觉了？"

"是的，可是我们有 3 个孩子，真叫人放心不下，你可有什么好建议？"

"去爱她。"我说。

"可是我告诉过你，我已经没有那种感觉了。"

"去爱她。"

"可是你不了解，没有了感觉如何爱？"

"正因为如此，你才要去爱她。"

"可是我办不到。"

"老兄，爱是一个动词，爱的感觉是行动所带来的成果。所以请你爱她、关心她、照顾她……你愿意这么做吗？"

在所有进步的社会中，爱都是代表动作，但消极被动的人却把爱当做一种感觉。好莱坞式的电影就常灌输这种不必为爱负责的观念——因为爱只是感觉，没有感觉，便没有爱。事实上，任由感觉左右行为是不负责任的做法。

积极主动的人则以实际行动来表现爱。就像母亲忍受痛苦，把新生命带至人世，爱是牺牲奉献，不求回报。又好像父母爱护子女，无微不至，爱必须通过行动来实现，爱的感觉由此而生。

关注圈与影响圈

从一个人对周遭事务关注范围的大小，以及发挥影响力的

图 3－2

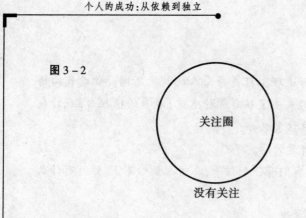

没有关注

意志强弱,也能判断态度是否积极。每个人都有一些关注的问题,包括健康、子女、事业、经济状况或世界局势,这些可归入"关注圈"(circle of concern)。其中,有些是个人可以掌握的,有些则无能为力。把个人可以控制的事圈起来,就形成"影响圈"(circle of influence)。

74

图 3—3

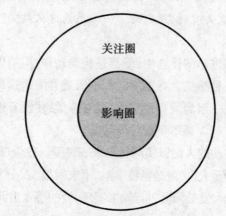

着重于"影响圈"的人,脚踏实地,不好高骛远;把心力投注于自己能有所作为的事情,所获成就将使影响圈逐步扩大。

图 3—4

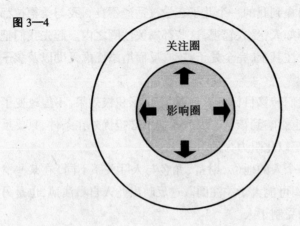

反之,消极被动的人全神贯注在"关注圈",时刻不忘环境的种种限制、他人的种种缺失,徒为无法改变的状况担忧。结果是怨天尤人、畏畏缩缩,受迫害的感觉日益强烈。由于着力方向错误及由此而生的副作用,影响圈便会缩小。

图 3—5

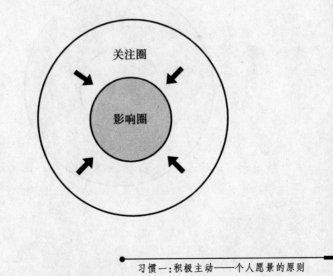

习惯一:积极主动——个人愿景的原则

　　前面曾提到我的一个儿子在学校适应不良，我与桑德拉都很担心他不如人，受人轻视，这些都属关注圈之内。起先我们把全部心力投注其上，完全处于被动，反而增添忧虑无助以及孩子的依赖心。

　　后来我们转移目标到影响圈，产生了积极效果，不但改变了我们，最后也影响到孩子。因此我们不必担忧外在条件，只要反求诸己，就足以化阻力为助力。

　　由于每个人的地位、财富、角色与人际关系不同，在某些情况下，影响圈可能大于关注圈。这反映出此人自私浅薄，也是另一种形式的受制于人。

　　影响力的发挥固然有其轻重缓急，无法完全脱离关注的目标。不过积极主动的人，关注圈应与影响圈不相上下，如此影响力才能做最有效的发挥。

图 3—6

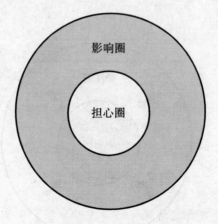

别让问题制服了你

根据自主程度的高低,人生的问题可分为三类:个人可直接控制(与自身行为有关);个人可间接控制(与他人行为有关);无法控制(已成过去或客观环境使然)。积极主动的人对影响圈中的这三类问题,都有应对之道。

●可直接控制的问题:解决之道在于改变习惯,这是我们绝对做得到的。本书第二部分"个人的成功"中讨论到的习惯一、二、三即属这一类。

●可间接控制的问题:有赖改进发挥影响力的方法来加以解决,这在第三部分"人际关系的成功"中的习惯四、五、六中有所讨论。我个人即曾发掘过30余种截然不同的方法,足以影响他人。通常一般人顶多知晓个三四招:不外乎动之以情,说之以理;不成功便三十六计走为上策或唇枪舌战、拳脚相向。若能扬弃传统压制对方的观念,学习有效的新方式,你可以施展得更为游刃有余。

●无能为力的问题:我们的责任就是改变嘴角的线条——以微笑、真诚平和的态度,接纳这些问题。纵使有再多不满,也要学习处之泰然,如此才不至于让问题制服了我们。不管一个问题是能直接控制还是无法控制,或是能间接控制,解决问题的第一步都在于改变我们的习惯,改变我们的影响途径,改变我们看问题的方式。而所有这些,都在我们所能控制的影响圈之内。

用心扩大影响圈

一旦化学方程式有某一部分改变,整个化学变化就会改观。同样地,只要我们开始对环境做选择性的回应,影响力也会大增。

我曾经与一家公司合作过，该公司总裁精力旺盛，而且对流行趋势反应极其敏锐。他才华横溢，精明干练，但是管理风格却十分独裁。对部属总是颐指气使，从不给他们独当一面的机会，人人都只是奉命行事的小角色，连主管也不例外。

这种作风几乎使所有主管离心离德，大多一有机会便聚集在走廊上大发牢骚。乍听之下，不但言之成理而且用心良苦，仿佛全心全意为公司着想。只可惜他们光说不练，以上司的缺失作为坐而言却不起而行的借口。

例如一位主管说："你绝对不会相信。那天我把所有事情都安排好了，他却突然跑来指示一番。就凭一句话，把我这几个月来的努力一笔勾销，我真不知道该如何再做下去。他还有多久才退休？"

有人答道："他才 59 岁，你想你还能熬 6 年吗？"

"不知道，反正公司大概也不会让他这种人退休。"

然而，有一位主管却不愿意向环境低头。他并非不了解顶头上司的缺点，但他的回应不是批评，而是设法弥补这些缺失。上司颐指气使，他就加以缓冲，减轻属下的压力。又设法配合上司的长处，把努力的重点放在能够着力的范围内。

受差遣时，他总尽量多做一步，设身处地体会上司的需要与心意。假定奉命提供资料，他就附上资料分析，并根据分析结果提出建议。

有一天，我以顾问的身分与该公司总裁交谈，他大为夸赞这位主管。以后再开会时，其他主管依然接到各种指示，惟有那位积极主动的主管，受到总裁征询意见，他的影响圈因此而扩大。

这在办公室造成不小的震撼，那些只知抱怨的人又找到了新的攻击目标。对他们而言,惟有推卸责任才能立于不败之地,因为肯负责,就得不怕失败,为了免于为自己的错误负责,有人干脆把责任推得一干二净。这种人以尽量挑剔别人的错误为能事,借此证明"错不在我"。

幸好这位主管对同事的批评不以为意,仍以平常心待之。久而久之,他对同事的影响力也增加了。后来,公司里任何重大决策必经他的参与及认可,总裁也对他极为倚重,并未因他的表现受到威胁。因为他们两人正可取长补短,相辅相成,产生互补的效果。

这位主管并非依靠客观的条件而成功,是正确的抉择造就了他。有许多人与他处境相同,但未必人人都会注重扩大个人的影响圈。

有人误以为"积极主动"就是强出头、富侵略性或无视他人的反应,其实不然。积极主动的人只是反应更为敏锐,更为理智,能够切乎实际并掌握问题的症结所在。

印度圣雄甘地就曾受到印度议员的抨击,因为他不肯跟他们唱高调,谴责大英帝国奴役印度人民。相反地,他亲自下乡,在田间与农民同甘共苦。一点一滴努力经营,脚踏实地建立影响力,最后终于赢得全国人民的支持。他没有任何高官厚禄,以一介平民,凭着热忱、勇气、绝食以及道德说服的力量,终于使英国人投降。3亿人民因而脱离殖民地统治。

想了解一个人的关注圈与影响圈,从言谈中就可看出端倪。描述关注圈的语句多半带有假设性质。

"要是我的房屋贷款付清了,我就了无牵挂。"

"如果我的老板不这么独裁……"

"如果我的丈夫脾气好一点……孩子肯听话……"

"如果我能有更多属于自己的时间……"

"如果我学历更高……"

至于反映影响圈的语句则多半强调自身的修养,例如：

"我可以更有耐心,更明智,更体贴……"

先从自己做起

"外在环境是造成问题的症结所在",这种想法不但错误,而且正是问题的根源。假使不能反求诸己,一味希望外在环境改变来达成个人的愿望,无异于任凭别人摆布。

正确的做法应该是,先改变个人的行为,做个更充实、更勤奋、更具创意、更能合作的人,然后再去影响环境。

我最欣赏《旧约》里约瑟夫的故事,约瑟夫便是一个尽其在我的人。他年方 17 就被亲生手足卖至埃及,任何人处在同样的境遇下,都难免自怨自艾,并对出卖及奴役他的人愤愤不平。但约瑟夫不这么想, 他专注于修养自己, 不久便成了主人家的总管,掌理所有的产业,备受倚重。

后来他遭到诬陷,冤枉坐牢 13 年,可是依然不改其志,化怨愤为上进的动力。没有多久,整座监狱便在他的管理之下。到最后,更掌理了整个埃及,成为法老以下、万人之上的大人物。

这种行为的确不是一般人所能企及, 可是人人都可以为自己的生命负责,为自己开创有利的环境,而不是坐等好运或恶运的降临。

举例来说, 如果某人婚姻出了问题, 却只顾揭发对方的过错。这种做法于事无补,只不过强调错不在我,且充其量证明你是个无能的受害者,并不能挽回婚姻。不断的指责不但无法使人改过迁善,反而会令人恼羞成怒。

真正有效的策略应从自身能控制的方面着手，也就是先改进自己的缺失，努力成为模范妻子或丈夫，给予对方无条件的爱与支持。我们当然也盼望能感受这份苦心，进而改善自己的行为。不过对方的反应如何，并非重点所在。

　　除了好丈夫、好妻子，我们何妨试着做个好学生或好职员。如果遇上实在无能为力的状况，保持乐观进取的心情仍是上上策，不管快乐或不快乐，同样积极主动。有些事物不是人力所能控制，比方说天气，但我们仍可保持内心或外在环境的愉悦气氛。对力不能及之事处之泰然，对能够掌握之事则全力以赴。

不怕犯错只怕不改过

　　在我们把生命重心由关注圈转移至影响圈前，有两件事值得考虑，那就是自由选择的后果与错误。

　　每个人固然可以选择自己的行为与反应，但后果仍由自然法则来决定，非人力所能左右。比方一步跨到一列高速行驶的火车的正前方，可以出自个人的选择，但后果却在影响圈之外，非人所能控制。

　　又比方，有人喜欢玩弄欺诈手段，如果不被揭发，虽不会受到社会的惩罚，但是人格上的污点却无论如何难以抹杀。

　　因此我们固然享有选择的自由，可是也须承担随之而来的后果。人的一生中，选择错误的机率颇大，无怪乎常会有悔不当初的遗憾，但木已成舟，这些都须列入个人无法控制的关注圈。

　　对于已难挽回的错误，积极主动的做法不是悔恨不已，而是承认、改正并从中汲取教训，这样才能真正反败为胜。国际商用机器公司(IBM)创始人沃森(T. J. Watson)曾说：

失败是成功之母

犯了错却不肯承认，等于错上加错，自欺欺人。为自己造成的错误编织各种理由加以辩解，则形同掩耳盗铃，反而愈描愈黑，受害的还是自己。

因为对我们伤害最深的，不是别人的所作所为，也不是我们自身的缺失，而在于不能正视这些缺失。那就仿佛被毒蛇咬了，却追上前想去抓蛇，反使毒性散得更快，还不如尽快设法吸出毒汁。因此，切勿文过饰非，以免一错再错。

作出承诺，信守诺言

让我们再回到影响圈上，这个范围所环绕的核心就是许诺与实践诺言。对自己对别人有所承诺，并且从不食言，是积极主动精神最崇高的表现，同时也是个人成长的真义。凭借人类天赋的自我意识与良知，我们可以检讨自己，找出犹待改进之处及尚可发挥的潜能。然后运用想象力及独立意志，立定志向，许下承诺、矢志达成。这就是人类成长的过程。

许诺与立志可以使我们掌握人生。有勇气许下诺言，即使是小事一桩，也能激发自尊。因为这表示我们有自制力，并有足够的勇气与实力来承担更多责任。经由不断许诺与实践诺言，终有一天荣誉感会凌驾情绪性反应之上。所以，对自己信守诺言的力量，正是圆满人生不可缺少的基本条件之一。

积极主动：为期三十天的试验

我们虽没有弗兰克尔在死亡集中营的经历，但是日常生活中的种种琐事，已足以使我们培养积极主动的精神，来应付人生无比庞大的压力。不论是面对交通阻塞,或是顾客的无理要求,都需要这种修养。它表现在我们如何集中心力,如何看待问题以及如何遣词用句上。

我建议各位利用 30 天的时间,身体力行积极主动的精神。在这 30 天内,全力专注于影响圈的事物,许下承诺并予以兑现。做照亮他人的蜡烛,而非评判对错的法官;以身作则,不要只顾批评;解决问题,不要制造问题。

在婚姻、家庭、工作中,都可以试行这个原则。不必怪罪别人或文过饰非,不怨天,不尤人,但求尽其在我。

对他人的缺失要心存怜悯,别人如何待我,并不重要,要紧的是何以待人。别活在父母、同事或社会的驱使之下,请善用天赋的独立意志,为自己的行为与幸福负责,如此才能享受最大的自由与幸福。

英国辞典编纂家兼作家约翰逊(Samuel Johnson)曾说:

满意之泉必须源自内心。若不了解人性,而企求不改变自我就可以找到幸福的人,终其一生必定虚掷于无意义的追求之中,且日益增长其企图摆脱的痛苦。

◨立即行动

一、以一整天时间,倾听自己以及四周人们的用语,注意是否常有"但愿"、"我办不到"或"我不得不"等字眼出现。

二、依据过去经验,设想近期内是否会遭遇一些令人退缩逃避的情况?这种情况在影响范围之内吗?你应该如何本着积极主动的原则加以应对?请在脑海中一一模拟。提醒自己,刺激与回应之间还有余地,并把握自由选择的精神。

　　三、从工作或日常生活中，找出一个令你备感挫折的问题。判断它属于直接、间接或无法控制的问题，然后在影响圈内寻觅解决的第一步骤，并付诸行动。

　　四、试行积极主动原则 30 天，观察影响圈是否有任何变化？

第 四 章

习惯二:以终为始
——自我领导的原则

太多人成功之后，反而感到空虚；得到名利之后，却发现牺牲了更可贵的事物。因此，我们务必掌握真正重要的愿景，然后勇往直前坚持到底，使生活充满意义。

85

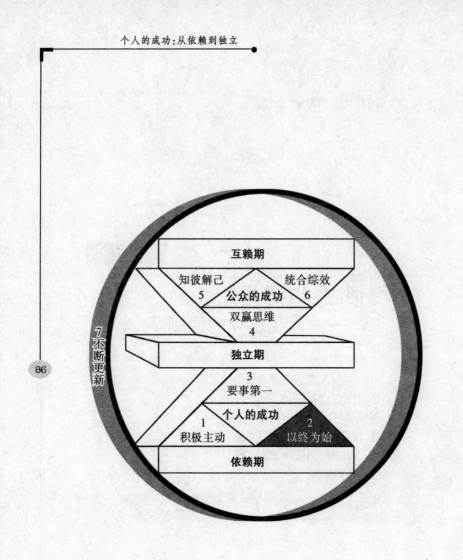

身外之物和内在力量相比，便显得微不足道。

        ——霍姆斯(Oliver Wendell Holmes)，前美国最高法院大法官

    阅读本章时，请找个僻静不受干扰的角落，抛开一切杂念，敞开心扉，跟着我作一段心灵之旅。

    假设你正在前往殡仪馆的路上，要去参加一位至亲的丧礼。抵达之后，居然发现亲朋友好齐集一堂，是为了向你告别。也许这是三五年，甚至许久之后的事，但姑且假定这时亲族代表、友人、同事或社团伙伴，即将上台追述你的生平。

    请认真想一想，你希望听到什么样的评语? 你这一生有任何成就、贡献或值得怀念的事吗? 你是个称职的丈夫、妻子、父母、子女或亲友吗? 你是个令人怀念的同事或伙伴吗? 失去了你，对关心你的人会有什么影响? 请大致记下你的感受，这有助于了解本章的重点——以终为始(begin with the end in mind)。

"以终为始"的意思

    以终为始的习惯可适用于各个不同的生活层面，而最基本

的目的还是人生的最终期许。从上述的实验中，可以发掘人们心底最根深蒂固的价值观，间接触及影响圈的核心部分。从此时此刻起，一举一动，一切价值标准，都必须以人生的最终愿景为依归；也就是由个人最重视的期许或价值来决定一切。我们应该时时刻刻把人生使命谨记在心，每一天都要朝此迈进，不敢有丝毫违背。

确认使命也意味着，着手做任何一件事前，先认清方向。这样不但可对目前所处的状况了解得更透彻，在追求目标的过程中，也不致误入岐途，白费工夫。

人生旅途，岔路很多，一不小心就会走冤枉路。许多人拼命埋头苦干，却不知所为何来，到头来仍然发现追求成功的阶梯搭错了墙，为时已晚。因此，人们也许很忙碌，却不见得有意义。

太多人成功之后，反而感到空虚；得到名利之后，却发现牺牲了更可贵的事物。上自达官显贵、富豪巨贾，下至平头小民、凡夫俗子，无人不在追求更多的财富或更高的事业地位与声誉，可是名利往往蒙蔽良知，成功每每须付出昂贵的代价。因此，我们务必掌握真正重要的愿景，然后勇往直前坚持到底，使生活充满意义。

盖棺论定时，你希望获得的评价，才是你心目中真正渴望的目标。从这个角度看，名利、成就等等不免显得微不足道。

有这么一则小故事：丧礼上有人问死者的朋友："他留下多少遗产？"对方答："他什么也没带走。"

所有事物都经过两次创造

"以终为始"是以所有事物都经过两次创造的原则为基础的。所有事物都有心智的即第一次的创造（mental／first creation）和实际的即第二次的创造（physical／second creation）。我们做任何事都是先在心中构思,然后付诸实现。正因如此,认定使命才显得如此重要。

以建筑为例, 在拿起工具建造之前, 必须先有详尽的设计图;而绘出设计图之前,须先在脑海中构思每一细节。有了设计图, 然后有施工计划, 这样按部就班, 才能完成建筑。假使设计稍有缺失, 弥补起来, 可能就事倍功半。设计蓝图代表愿景, 整个建筑过程均以它为准绳,因此宁可事先追求尽善尽美,以免亡羊补牢。

创办企业也是同样道理。要想经营成功, 必须先确定产品或服务可达到的营运目标, 然后综合资金、研究发展、生产作业、行销、人事、厂房设备等方面资源, 朝愿景努力前进。许多企业都败在事先规划不周, 以致资金不足, 或对市场认识不清。

教养子女也要有使命。想调教出既懂事又有责任感的子女,日常与子女相处时,就得谨守这个使命,不可做出相违背的举动。

先构思而后行动的原则适用范围极广。比方出门旅行, 要先决定目的地与路线;上台演讲,应先预备讲稿;做衣服,要先设计款式。明白这个道理,把订定使命看得与行为本身同样重要,影响圈就会日渐扩大。

不过,"使命"不见得都是有意识的产物。有些人自我意识薄弱,只知遵循家庭、社会或环境所赋予的使命前进。这类使命多半出于个人主观好恶,不符合客观原则。它之所以被接受,乃由于有些人依赖心过重,深怕不顺从别人的要求便会失去爱,因而必须靠别人来肯定自我价值。

领导与管理:两次创造的体现

"以终为始"是以自我领导的原则为基础的, 但领导

(leadership)不同于管理(management)。管理的层次低于领导,我们将在第三个习惯那一章讨论。

领导与管理的差异就好比思想与行为。管理是有效地把事情做好,领导则是确定所做的事是否正确;管理是在成功的阶梯上努力往上爬,领导则指出所爬阶梯是否靠在正确的墙上。

要理解两者间的这一区别不难。想象一下,一群工人在丛林里清除矮灌木。他们是生产者,解决的是实际问题。管理者在他们后面拟定政策,引进技术,确定工作进程和补贴计划。领导者则爬上最高那棵树,巡视全貌,然后大声嚷道:"不是这块丛林!"

而忙碌的生产者和管理者常常怎么回答呢?"别说了,我们正干得有声有色呢。"

作为个人和企业,常常是埋头砍矮灌木,甚至没有意识到要砍的并非那块丛林。

尤其在这日新月异的世界中, 有效的领导比以往更显得重要。我们需要方针,需要指引。面对纷扰不已的世事,谁也难以预料未来的发展,这时惟有依靠自己的判断行事。而使命——也就是心中的罗盘——能使你判断正确。

成功——甚至可说求生存的关键——并不完全取决于流了多少血汗,而在于努力是否得法。因此对各行各业而言,领导都重于管理。

企业方面,市场瞬息万变,领导者必须不断密切注视环境的变化,特别是消费者的购买习惯和购买心理,以使企业保持正确的发展方向。

工业方面也是这样。领导者若不注意外部环境的变化,管理技能再好也不能使他们免于破产。缺乏有效领导的高效率管理,有人称之为"就像在泰坦尼克号轮船上拉开躺椅"。无论管理多么成功,都不能弥补领导的失败。不过领导的确是很难的,因为我们常常陷于管理的圈子难以自拔。

记得在西雅图,我曾为一家石油公司主持为期1年的主管进修课程。在最后一堂课上,该公司总裁跟我谈到他个人的上课心得:

> 史蒂芬,你在第二个月指出领导与管理的不同之后,我立即检讨了自己的角色,结果发现我根本不曾领导。每天忙着应付管理问题,已令人焦头烂额。于是我决定退出管理工作,留给别人去负责,我希望好好为公司确定大方向。
>
> 这实在不容易啊!要放手不管眼前急迫的公务,牺牲唾手可得的成就,令我十分痛苦。苦思如何领导公司,如何建立企业文化,如何掌握先机,以及深入分析一些问题,更让我头痛不已。手下的管理人员也适应不良,他们无法再把难题推给我解决,日子比以前难过。
>
> 不过我决心坚持到底,因为我认定自己必须做个领导者。现在我已确实做到,整个公司也彷佛脱胎换骨。如今,我们更能因应环境的变化,公司营业额加倍,利润也增长了3倍。我真正发挥了领导力。

在家庭中,为人父母者难免也会落入类似的管理陷阱,只重规矩、效率与控制,忽略了管教的目的、方向与亲情。至于个人的生活,可能就更缺乏主导了。终日汲汲营营,却像无头苍蝇般漫无目标。

改写人生剧本

每个人在成长过程中都承袭了许多来自他人的"人生剧

91

本"，也就是价值观与其他方面的制约。要掌握自己的人生，就得改写这些剧本，或者改变既有的成见。

已故埃及总统萨达特（Anwar Sadt）的自传，讲述了一个最令人振奋的改写人生剧本的故事。萨达特是在仇恨以色列的环境中长大成人的，一度以仇恨以色列来调动民众的意志。这个剧本有很强的独立性和浓厚的民族主义，但它也是愚蠢的，忽视了当今世界相互依存的事实。萨达特也知道这一点。

于是，萨达特决心改写自己的人生剧本。因为参与推翻法鲁克国王，他被关进了监牢。在那里，他学会了从旁观者的角度来观照自己，反躬自省，改造自我。

当终于成为埃及总统时，他改变了自己对以色列的态度。他访问了耶路撒冷的以色列国会，开启世界历史上最勇于突破先例的和平运动，而这一大胆的行为最终产生了戴维营协议。

萨达特利用他的独立意识、想象力和良知进行自我领导，改写了自己的"人生剧本"，影响了数百万人的生活。

当我们因袭的"人生剧本"有违我们的生活目标时，我们能够利用想象力和创造力书写新的剧本，它将更为符合我们内在的价值观。

假设我是一位严厉的父亲，每当子女做出令我反感的行为，立刻会火冒三丈，把教训子女的真正目的抛诸脑后；拿出做父亲的权威，迫使子女屈服。在眼前的冲突中我固然得胜，亲子关系却出现裂痕。孩子表面顺从，但口服心不服，受到压抑的情绪，日后会以更糟的形式表现出来。

让我们再回到本章一开始提到的实验。在我的丧礼上，子女齐集一堂，表达孝思。我期望他们个个都很有教养，满怀对父亲的爱，而不是与父亲起冲突的创痛。但愿他们心中所充满的是往日美好的回忆，记得老爸曾与他们同甘共苦过。我所以有这些期望，因为我重视子女、爱护子女，以做他们的父亲为傲。

但在实际生活中，却不一定时时牢记这些，表面对孩子的态度并不能真正反映我心底的情感，因为繁复的事务扰乱了我的方向。

好在这个缺点并非无法克服。我可以排除外来不合宜的价值观与其他制约，由此建立自己的价值观与方向，和对生命的负责，来改写人生剧本，让自己的人生真正符合自己的意愿。

于是乎，日常生活一旦出现困难或挑战，我就可以根据个人价值观决定因应之道。

个人使命宣言

确立人生愿景最有效的方法，就是认定自己的人生哲学或基本信念，然后写一份个人使命宣言(mission statement)。宣言中应包括自我期许与基本价值观，内容往往因人而异。举例来说，我有一位朋友的个人信条如下：

- 家庭第一。
- 借重宗教的力量。
- 决不放弃诚信原则。
- 未听取正反双方意见，不妄下断语。
- 征求他人意见。
- 保护不在场的人。
- 诚恳但立场坚定。
- 每年掌握一种新技能。
- 今天计划明天的工作。

●抓紧等待的时间。

●态度积极,保持幽默。

●生活与工作有条不紊。

●别怕犯错——怕的是不能记取教训。

●协助属下成功。

●多请教别人。

●珍惜现在。

对于一位希望兼顾家庭与事业的妇女，她的使命感便不尽相同：

●我兼顾事业与家庭,因为两者对我都很重要。

●家庭是平安、祥和与幸福之地,我要以智慧来创造整洁温馨的环境,并教导子女有爱心、进取与充满欢愉,培养他们发挥长才。

●珍惜民主社会的权利与自由,善尽社会一分子的责任。

●积极主动追求人生目标。

●避免养成恶习,不断改进自己。

●金钱是人的奴隶而非主人。我要追求经济独立,量入为出,并定期储蓄或投资一部分收入。

●我愿贡献金钱与才智,改善他人的生活。

个人使命宣言是行为处事的根本大法，好比一国的宪法。不管世事如何多变，环境多么艰困，它依然不为所动。

凡是心中秉持恒久不变真理的人，才能屹立于动荡的环境中。因为一个人的应变能力取决于他对自我、目标以及价值观的不变信念。确立个人使命之后，我们就不必借助成见或偏见来面对变局，如此一来，便能保持安全感。

世界变动太快，许多人难以适应，因而选择了退缩与放弃，其实人生不必如此消极。弗兰克尔在纳粹死亡集中营中，不仅觉悟到积极主动的真谛，还体会到生命意义的重要。后来他提倡一种"标记疗法"（logotherapy），基本理论便是：许多心理与情绪疾病事实上只是失落感、空虚感在作祟。标记疗法可以协助病人找回生命的意义与使命，以祛除内心的空虚。

直指核心

想要确立个人使命，必须从影响圈的核心开始，因为这是一切思想观念的根本，也是安全感、人生方向、智慧与力量的泉源。

图4—1　一切思想观念的根源

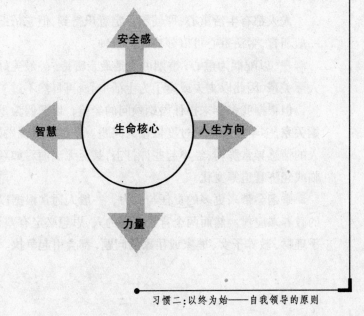

安全感

智慧　　生命核心　　人生方向

力量

习惯二：以终为始——自我领导的原则

"安全感"代表价值观、认同、自尊自重与归属感。"人生方向"是生命的追求方向以及决断所依据的原则。"智慧"是对事物的认知、理解与判断能力。"力量"则指采取行动、达成目标的能耐。

这四者相辅相成,安全感与明确的方向可以带来智慧,智慧则能激发行动。若四者十分健全且均衡发展,便能产生高尚的人格、平和的个性与完美正直的个体。

这四方面的成熟度,同样可以用依赖——独立——互赖三阶段来衡量。处于最底层依赖阶段的人,则极度缺乏安全感,他们凭借社会价值订定方向,对外界认识不清,缺乏行动勇气或受人摆布。若是位在最高的互赖层次,则能肯定自我,处世泰然;他们确知自己的努力方向,深谙待人接物的艺术,积极主动,不假外求。

你的生活重心是什么

人人都有生活重心,即使不一定意识得到,但它依旧存在。一般而言,生活重心可以分为以下数种:

一、以配偶为重心:婚姻可说是最亲密持久、最美好可贵的人际关系,因此以丈夫或妻子为生活重心,再自然不过了。

但根据我多年来担任婚姻顾问的经验,以配偶为重心的婚姻关系,多半发生情感过度依赖的问题。太过于重视婚姻,会使人的情感异常脆弱,经不起些许打击,甚至无法面对如新生儿降临或经济窘迫等变化。

婚姻会带来更多的责任与压力,一般人通常根据以往所受的教养来应付。然而两个背景不同的人,思想必定有差异,于是乎理财、教养子女、婆家或岳家的问题,都会引起争执。若再加上其中一方情感难以独立，这桩婚姻便岌岌可危。

如果我们一方面在情感上依赖对方，一方面又与对方有所突击，就极易陷入爱恨交织、进退失据的矛盾中。为了保护自己，便更加退缩及排斥对方。于是，冷嘲热讽代替了真实的感受，感情用事的结果是失去了方向、智慧与力量。纵使表面似乎保住了安全感，实则不然。

二、以家庭为重心：以家庭为重的现象也十分普遍，而且似乎理所当然。家的确带来爱与被爱、同甘共苦以及归属的感觉，但过分重视家庭，反而有害家庭生活。

太仰赖家庭提供安全感及价值感，太重视家族传统与名誉，通常无法接受任何可能影响这些传统与声誉的改变。以家庭为重的父母，不能为子女的真正幸福着想，他们的爱往往是有条件的。结果若非导致子女更为依赖，就是变得叛逆。

三、以金钱为重心：谁也无法否认钱的重要，经济上的安全感也是人类最基本的需求之一，因此追求财富无可厚非。但若惟利是图，往往得不偿失。

如果一个人的安全感与价值观完全建立在金钱的多寡上，势必寝食难安，因为影响财富的变数太多，任何一个闪失都令人承受不起。但是钱却不能带来智慧或指引生命的方向，只能提供有限的力量与安全感。

有人为了逐利，不惜将家庭及其他重要事物摆在一边，而且以为别人都认同这种做法。我认识一位可敬的父亲，准备带子女出游时，忽然接到公司要求加班的电话，但是他回绝了，因为"工作还会再来，童年却只有一次"。这一幕深深印在子女脑海里，永志不忘。

四、以工作为重心：只知埋头苦干的"工作狂"，即使牺牲健康、家庭与人际关系也在所不惜。他的生命价值只在于他是个医生、作家或演员……一旦无法工作，便失去所有的生活意义。

五、以名利为重心：占有欲极强的人，想据为己有的不仅是有形的物质，如汽车、洋房、华服等等；无形的名誉、荣耀与社会地位也决不放过。

我们都知道名利不可依靠，因为它们随时可以毁于一旦，一个人若必须靠名利与物质来肯定自我，必定时时处于惶惶不安的状态中，深恐身外之物转眼成空。当他们面对条件比自己更好的人，便相形见拙；见到略逊一筹的人，又趾高气扬。如此一来，自我价值起伏不定，永无宁日。难怪有人在股票大跌或政坛失意后，会选择自戕一途。

六、以享乐为重心：在当前崇尚速成的世界里，享乐之风盛行，不足为奇。电视与电影喂大了观众的胃口，然而银幕上的浮华生活，骨子里并不如表面上看起来那般美好光鲜。

真正的快乐可使人身心舒畅，短暂的刺激却丝毫不能给人持久的快乐与满足。贪图享乐的人很快便会对既有的刺激感到乏味，然后就得追求更刺激的"快感"。

休太长的假，看太多的电影、电视，打太多的电子游戏，长久无所事事，都只是浪费生命。无益于增长智慧，激发潜能，增进安全感或指引人生，只不过制造更多的空虚而已。

马格里奇（Malcolm Muggeridge）在《二十世纪的圣经》（*A Twentieth - Century Testimony*）中写到：

回忆旧日生活，对我触动最大的是，当时看上去十分重要、十分吸引人的事，现在看来微不足道，荒唐可笑。比方，各种各样的成功、名气和赞誉；得到金钱或吸引女人后的欢愉；旅行，像

表四—1　　　**各种重心的特征**

重心类别	安全感	人生方向	智慧	力量
以配偶为重心	• 安全感建立在配偶的态度上 • 极易受配偶情绪的影响 • 因与配偶意见不合或对方不符期望而极度失望，以致退缩或起冲突 • 凡可能不利于婚姻关系的，均被视为威胁	• 依个人与配偶的需求决定人生方向 • 取舍一切事物的标准仅止于是否对婚姻或配偶有利，或以配偶的偏好与意见为主	• 以对配偶或婚姻关系可能产生有利（或不利）影响之事，决定个人人生观	• 行动力量因个人或配偶的弱点而受到限制
以家庭为重心	• 安全感建立在家人的接纳与实现家庭的期望上 • 个人安全感随家庭起伏 • 家庭声望决定自我的价值	• 行为与态度的是非观念，来自家庭的灌输 • 基于家族利益或家人的需要做决定	• 完全以家庭的角度看待一切，以致所见不广与过分依恋家庭	• 行动范围不出家族模式与传统
以金钱为重心	• 个人的价值由手中的财富决定 • 对任何可能危及经济安全之事充满戒心	• "利"是一切决定的准则	• "人生以赚钱为目的"，以此面对人生，无法做正确的判断	• 只重视金钱所能发挥的力量，视野狭隘
以工作为重心	• 根据职业上的角色，认定自我的价值 • 只有工作时感觉自在	• 以工作需要与成就为衡量一切的准绳	• 只扮演与工作有关的角色 • 把工作视为生命	• 以成功的榜样、就业机会、组织压力、老板的想法及对个人工作能力的疑虑来决定行动

重心类别	安全感	人生方向	智慧	力量
以名利为重心	•安全感来自个人名誉、社会地位或所拥有的实物 •好与他人一较长短	•以是否能保障、增加或彰显自己的财产,衡量一切	•以经济能力与社会地位来看待外界	•个人行动局限于购买能力或社会地位
以享乐为重心	•惟有乐到"最高点"才能产生安全感 •安全感稍纵即逝,使人感觉麻木,完全为环境所左右	•"追求最高的享乐"是一切决定的依据	•但问世界能带给个人何许欢乐	•几乎没有行动的力量
以朋友为重心	•安全感建立在社会评价之上 •极其仰赖他人的意见	•"别人怎么想?"是做决定的第一考虑 •容易受窘	•以社交的眼光来看待外在世界	•只能在有限的社交圈中行动 •为逢迎他人而随波逐流
以敌人为重心	•安全感起伏不定;依敌人的行动而变化 •时时刻刻以敌为念 •向臭味相投者寻求认同	•受敌人的行动所左右,缺乏自主 •一心想打倒敌人	•见地狭隘、判断失真 •保护自己、反应过度、偏执狂	•有限的力量来自愤怒、妒忌、厌恶与报复心理,只有破坏没有建设
以宗教为重心	•安全感来自教会活动及教会领袖的评价	•行为标准决定于教义与教友的评价	•世人只有信徒与非信徒之分	•行动力量来自在教会的地位或扮演的角色
以自我为重心	•安全感无法持续稳定	•依个人需求、欲望、感觉与利益决定一切	•只重视外在事件、环境或所做决定对个人的影响	•行动力量全靠自己,无法与人互助合作

撒旦那样上下沉浮,经历着浮华世界里的一切。

回想起来,所有这些满足都已虚无缥缈。

七、以敌人或朋友为重心:青少年尤其容易陷于以朋友为重的情结中。为了被同行团体接纳,他们愿付出一切代价;对团体的所有价值观,也都照单全收,因而极为依赖团体。

以朋友为重心,可能只针对一个人而言,情况类似以配偶为重心。也就是完全为对方而活,导致的不良后果则大同小异。

以敌人为重心,似乎少有所闻,其实这种现象相当普遍,只是不易被察觉罢了。当某人觉得遭到重要人物(如主管)的不公平待遇后,很容易耿耿于怀,所作所为都为了要反抗待他不公的人。这就是以敌人为生活重心。

我有一位朋友在大学教书,由于与行政主管交恶,便终日以对方为假想敌,几乎到了走火入魔的地步。家庭生活与工作都大受影响,最后逼得他不得不选择离开。

于是我问他:"如果不是那位仁兄,你宁愿继续留下来,对不对?"

他回答:"是的,可是只要他在一天,我便永远不得安宁,只好另谋高就。"

"你为什么让他成了你生活的重心?"

朋友被这个问题震住了,一口否认。但我分析道理,说明他咎由自取。朋友起先只承认行政主管的确对他影响很大,但认为错在对方。最后经过我不断开导,才承认自己也应负一部分责任。

有些离婚的人,仍念念不忘对前夫前妻的深仇大恨;有些已成年的子女,仍为父母当年的忽视、偏心或责骂而愤愤不平,这也都是以敌人为重心。

以朋友或敌人为重心的人没有安全感。他们的价值观变化无常，受制于他人的情绪和行为，时时揣摩如何反击。这样的个人是没有力量的，时时被别人牵着鼻子走。

八、以宗教为重心：有人对宗教活动极为热衷，甚或没有宗教信仰，言行却更合乎宗教劝人向善的宗旨。

九、以自我为重心：时下最常见的恐怕就是以自我为中心的人，他们最明显的特征就是自私自利。然而，市面上盛行的个人成功术，无一不以个人为中心，标榜只索取不付出。殊不知狭隘的自我中心观，会使人缺乏安全感和人生方向，而且也不会有智慧及行动力量。惟有为造福人群、无私奉献，而追求自我成长，才能在这四方面有所长进。

一般而言，我们都是以上某几种形态的混合体，随外在情势的不同而有所调整。此一时可能以朋友为重心，彼一时或许又变为以配偶为重心。

生活重心如此摇摆不定，情绪上难免起起落落，一会儿意兴风发，一会儿颓唐沮丧；一会儿斗志昂扬，一会儿又落魄消沉。

所以，最理想的状况还是建立明确固定的生活重心，使人生更平顺、更和谐。

以原则为重心

所谓正确的生活重心，也就是以原则为依归。

原则是恒久不变、历久弥新的，不像其他重心依靠的是善变的人或物。所以原则值得信赖，更可以增加安全感。同时它是理智而非感情用事的，能带给你"虽千万人，吾往矣"的信心。

配偶也许会与你离婚，再亲密的朋友也可能离你而去。但原则助人披荆斩棘,克服人生,也教人处顺境而不迷失方向。原则使人冷静发挥智慧,正确判断;它使我们不为外力所动,勇往直前。

以原则为生活重心,可说是统合了其他重心而自成一格。

我们且举实例来说,生活重心不同,产生的观念便互异。(参看附录一)

现在假定你已买好票,准备晚上与妻子(或丈夫)一同去欣赏音乐会,对方兴奋不已,充满期待。可是突然老板要你晚上加班,因为第二天有一个重要会议。

●对以家庭或配偶为重的人而言,当然是优先考虑配偶的感受。那么你很可能委婉拒绝老板,以免令配偶大失所望。即使为了保住工作而勉强留下来加班,心里也一定十分不情愿,一方面还得设法平息配偶的失望与不满。

●至于金钱至上的人,则重视加班费,或考虑到加班能使老板在调薪时另眼相看。你会理直气壮地告诉配偶你要加班,也会理所当然认为对方应该谅解,因为经济的需求超过一切。

●对工作狂来说,加班正中下怀。因为既可增加经验,又有更多表现的机会,有利于晋升。所以不论是否需要,仍然自动延长加班时间,且自以为配偶一定以此为荣,对爽约不会小题大作。

●贪嗜名利的人,则为加班费所增加的购买力而兴奋,或认为加班对个人形象很有帮助,可借此赢得为工作而牺牲奉献的美誉。

●重视享受的人,即使配偶并不介意他加班,仍会撇下工作去赴音乐会,因为他觉得该慰劳自己一下。

●看重朋友的人,则根据是否有朋友同行,或其他工作伙伴

103

图 4—2　以原则为生活重心

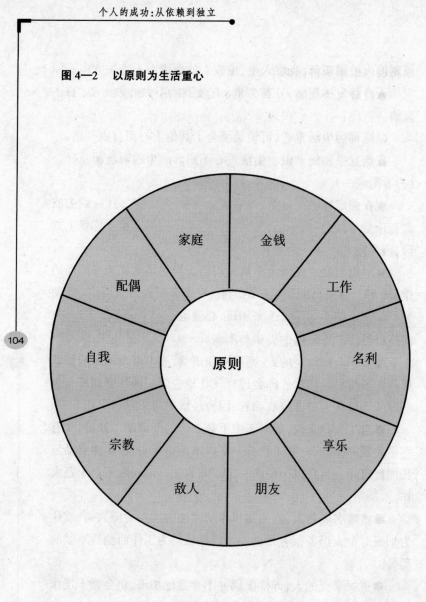

是否也留下来加班而做决定。

●以敌人为念的人，会乐于留下来，因为这可能是一个打击对手的良机。在对方悠哉游哉的时候拼命工作，正足以证明你对公司的贡献更胜一筹。

●热衷宗教的人则会衡量，共同加班的人是否信仰同一宗教，或音乐会演奏的是否为宗教音乐等等，来决定取舍。

●自我中心的人只关心，加班或赴音乐会，哪一样对个人的好处较大。

●但注重原则的人会保持冷静客观的态度，不受情绪或其他因素干扰。然后从整体的角度——包括工作需要、家庭需要、其他相关因素，以及不同的决定可能造成的结果——加以考虑，经过深思熟虑，才做出正确的抉择。

不论最后选择赴音乐会或是加班，都不足为奇，因为拥有其他生活重心的人也是两者择一，只不过基本上拥有原则的人所做的抉择会有以下几个特征：

第一，这是主动而非被动的决定。

第二，这是经过通盘考虑所得的结论，不是一时冲动。

第三，根据原则所做的决定，能提高自我的价值。为了报复他人而决定加班，与真心为企业福祉着想而加班，结果虽相同，意义却大相径庭。

此外，若平时已与老板及妻子建立良好的互赖关系，此时不难向他们解释如此决定的缘由，而且也会获得体谅。使你可以心安理得，无所牵挂。

总而言之，以原则为生活重心的人，见解不同凡响，思想行为也自成一格。由于拥有坚实的内在，其所获得的高度安全感、人生方向、智慧与力量，使其能享有积极主动而充实的一生。

制订和使用个人使用宣言

弗兰克尔说："我们是发现而不是发明自己的人生使命。"这么说的确再恰当不过了。凡是人都具备良知与理智，足以发现个人的特长与使命。弗兰克尔说得好：

每个人都有特殊的职责或使命，他人无法越俎代庖。生命只有一次，所以实现人生目标的机会也仅止于一次……追根究底，其实不是你询问生命的意义何在，而是生命正提出质疑，要求你回答存在的意义为何。换言之，人必须对自己的生命负责。

再以计算机作比喻。前一章曾提到，你是自己的人生程序设计员。本章则要求你写出属于个人的程序，也就是个人使命宣言。

这件工作并非一蹴而就，而是必须经过深思熟虑，几经删改，才可以定案。其间可能耗费数周，甚至数月的时间，而且即使定案，仍须不时修正。因为随着物换星移，人的想法也会改变。

无论如何，使命宣言是个人的根本大法、基本人生观，也是衡量一切利弊得失的基准。撰写使命宣言的过程，重要性不亚于最后的结论。为了形诸文字，你势必要彻底检讨自己真正的理想——最珍贵的人生目标。随着思想日益清明、貌随心转，你会有面目一新的感觉。

善用你的全部头脑

根据研究结果显示，人的大脑可分为左右两部分，左脑主司逻辑思考与语言能力,右脑职掌创造力与直觉。左脑处理文字,右脑擅长图像;左脑重局部与分析,右脑重整体与整合。

最理想的状况是左右脑的均衡发展,但实际上,每个人或多或少都是某半边大脑较发达。面对外界刺激时,也倾向于用较发达的一边做反应。用美国心理学家马斯洛(Abraham Maslow)的话说:"善用榔头的人往往认为所有东西都是钉子。"这也是影响前面实验中的少妇/老妇不同看法的另一因素。用右脑的和用左脑的人看事物往往是不同的。

基本上,目前是个崇尚左脑的世界,语言文字、逻辑推理等被奉为重要的才能,而感官直觉、艺术创造总是居于从属地位,无怪乎一般人多不习惯于发挥右脑的功能。

依据这个理论,前文所提到的构思与实行两阶段,前者须借重右脑的创造力,以跨越时空障碍,做全盘考虑与规划。

有时,人会因突发事件,在一瞬间由左脑为主的思想型态,变成以右脑为主。比方说,突然失去亲人、罹患重病、经济陷入窘境时,就会扪心自问:"到底什么才真正重要?我究竟在追求什么?"但积极主动的人,不待外界刺激就能设法主动转变思考模式。

本章一开始,想象参加自己的丧礼,就是一种扭转思维模式的方法。现在请试着写下理想的一生,愈详细愈好。你不妨和配偶在脑海里描绘结婚20周年以及50周年的情景,两人共同计划未来,讨论理想的婚姻关系什么样。你也可设想退休后的情形,希望有怎样的成就与贡献,退休后又有什么计划。

尽量敞开心灵去想,掌握每个细节,并且投入所有的情感与感觉。

我曾经在大学课堂上做过类似实验,要求学生假设自己只剩一学期的生命,该如何好好把握这最后的学习机会。经过一番省思，学生有不少新发现。于是我要求他们以 1 周的时间，从这个角度来检讨自己，并逐日记下心得。

结果，有人开始给父母写信，表达对父母的爱；有人则与感情不睦的手足和好，所有这一切都发人深省。

运用想象力来挖掘内心深处真正的感觉，是人人都会技巧，只是每个人的体会不同。凡是肯用心去追根究底的人，必然对生命充满虔敬，对人生诸事都能从大处、远处着眼。

心灵演练：想象与确认

在驾驭想象力的同时，我们应进行心灵演练（visualization）以获得确认（affirmation），使实际生活更符合理想的人生目标。

心灵演练包括：针对个人、积极、立即行动、富有感情等要素，还必须是可预见的。例如："发现子女行为不当时，我能以智慧、爱心、坚定的立场与自制力（积极的表现）加以应对（即立即行动），我（个人）内心深感欣慰（富有感情）。"

你不妨每天抽出几分钟，在身心完全放松的情况下，模拟各种可能出现的状况以及适当的反应，脑海中的影像愈清晰愈好。你的行为在潜移默化中会逐渐转变，最后终于能完全控制情绪，冷静应变。

这个方法我曾应用在我儿子西恩身上。他在高中时是美式足球队的四分卫，当时我开始教他如何放松自己，运用想象力来加强临场应战能力。

有一次，他抱怨常常会莫名其妙地紧张。细谈之下，我发现他脑海中浮现的总是千钧一发的时刻，无怪乎精神紧张。于是我教他利用心灵演练，在压力最大时，保持心平气和。

加菲尔德（Charls Garfield）博士曾对竞技运动和企业方面

的佼佼者有过广泛研究，他的一个重要发现是，世上有许多顶尖人物——包括一流运动员，都长于这种心理准备功夫。所以，在参与重要谈判、上台表演或面对困难冲突以前，不妨参照以上范例多加演练。直到胸有成竹，产生兵来将挡、水来土掩的勇气。

许多古老的宗教也采用同样的方式，只是名称略有出入，如静坐、祈祷、各种祭典、献礼等等，都诉诸良知与想象力。

心灵演练的威力无穷，但必须以品德及原则为基础，否则就会误用滥用。若是用于追逐功利，心灵演练虽然可以助人达到目的，却无法带来内心的安宁。

确定角色和目标

人生在世，扮演着各式各样的角色：为人父母、妻子、丈夫、主管、职员、亲友，同时也担负不同的责任。因此，在追求圆满人生的过程中，如何兼顾全局，就成了最大的考验。顾此失彼，在所难免；因小失大，更是司空见惯。

考虑到这一点，在撰写使命宣言时，不妨分开不同的角色领域，一一订立目标。在事业上，你可能扮演业务员、管理人员、产品开发人员的角色。在生活中，你或许是妻子、母亲、丈夫、邻居、朋友。其余政治、信仰方面的种种角色，也都各有不同的期待与价值标准。

以下是一位企业主管的人生目标：

我的使命是正正当当地生活，并且对社会有所贡献。

为达成这一使命：

我有慈悲心——拥抱人群，不分贵贱，热爱每一个人。

109

我愿牺牲——为人生使命奉献时间、精力、金钱及才华。

我以身作则——以身教教导人为万物之灵长，可以克服一切困难。

我有影响力——所作所为会使他人的生活改善。

以下是达成人生使命过程中的各种角色的扮演状况：

丈夫——老伴是我这一生中最重要的人，我们同甘共苦，携手前行。

父亲——我要帮助子女体验乐趣无穷的人生。

儿子／兄弟——我不忘父母、手足的亲情，随时对他们出手相援。

基督徒——我信守对上帝的誓言，并为他的子民服务。

邻居——我要发挥基督之爱来对待他人。

鼓舞人心者——我是激发群体优异表现的媒介。

学者——我每日求取新知。

一旦确定主要的人生角色，你就能清楚地掌握全局。接着，还要订定每个角色的长期目标，这些目标必须反映你真正的价值观、独特的才干与使命感。

角色与目标能赋予人生完整的架构与方向，假定你还缺少这一份个人使命宣言，现在正是开始撰写的最佳时机。至于近期的目标，将于下一章再讨论。

家庭使命宣言

除了个人以外，家庭也可凭借共同的目标来促进和谐。有不少家庭处理人际关系没有原则，全凭一时兴起及个人好恶，缺乏长久之计。因此，每当压力升高，家人便乱了方寸，出现冷言相向、冷嘲热讽或沉默抗议等不良反应。在这种环境下长大的孩子，必然以为解决问题的方法只有冲突或逃避。

其实，每个家庭都有共同的价值观及理念，作为生活的重心，撰写家庭使命宣言正可加以凸显这个生活重心。家庭使命宣言有如宪法，可当作衡量一切利弊得失的标准，以及重大决定的依据，并使全家人团结在共同的目标下。

撰写家庭使命宣言，同样也是过程与成果并重。由全家共同讨论、拟订及定时修正，更能促进沟通，强化向心力与坚定付诸实现的决心。面临危机或困难时，家庭使命宣言可帮助一家人认清方向，共渡难关。

我家墙上便贴有这么一份使命宣言，记载着全家共同定下的原则，包括互助合作、维持整洁、用言语表达感情、培养专长与欣赏家人的才华等等。每年6月与9月，即学年结束与开始之际，我们都会修订，使之更符合实际状况。

组织使命宣言

身为企业顾问，主要任务之一，就是协助企业订立可行的长期目标。这类目标必须由所有成员共同拟定，不可取决于少数高高在上的决策者。

每次到国际商用机器公司（IBM）参观员工训练，我都感触良多。IBM主管总不忘向员工耳提面命该公司的三大原则：个人尊严、卓越与服务。

不论世事如何变化，IBM始终信守这三大原则。而且从上到下，人人奉行不渝，就彷佛水的渗透，无所不在。

记得有一次在纽约训练一批 IBM 员工,班上人数不多,约20 人左右。不幸有位来自加州的学员生病,需要特殊治疗。主办训练的 IBM 人员,原想安排他们就近住院治疗,但为体谅他妻子的心情,便决定送他回家由家庭医生诊治。为了争取时间,无法等待普通班机,公司居然租直升机送他到机场。还包专机,千里迢迢送回加州。

虽然确实的金额不详,但我相信这笔开销不下数千美元。为了秉持个人尊严的原则,IBM 宁愿付出这些代价。这对在场的每个人都是最好的教育机会,我也留下了深刻的印象。

另一家连锁旅馆的服务态度,同样令我难以忘怀。那决不是表面功夫,而是全体员工自动自发的表现。

当时我因为主持一项研讨会而住进这家旅馆,由于到得太迟,已无餐点可用。前台人员却主动表示,可以到厨房跑一趟,还殷勤询问:"您要不要先看看会议厅?有没有需要我效劳的地方?您还需要其他东西吗?"当时并没有主管在旁边监督。

第二天研讨会开始,我发现所带的色笔不够,便趁空抓住一名服务员,说明困难。

他瞥了我的名片一眼,然后说:"科威先生,我会解决这个问题的。"

他并没有推脱:"叫我到哪儿去找。"或者:"请你问前台。"他一口承担下来,而且表现出为服务深感荣幸的样子。

事后我又观察到不少员工热心服务的实例,这引起了我的好奇心。为什么这个机构能够彻底奉行顾客至上的原则?我访问了各阶层的员工,发现个个士气高昂,态度积极。于是我请教经理秘诀何在。

他取出整个连锁网的共同使命宣言给我看。

我看过以后说："这的确不同凡响，但很多公司都订有崇高的目标，却不见得能够实践。"这位经理接着又取出专属于这家旅馆的经营目标，是另一份组织宣言："这是根据总公司的大原则，并针对我们的特殊需要而拟定的。"

"是谁订立的呢？"

"全体员工。"

"清洁工、女侍、文书职员都包括在内？"

"是的。"

这两份宣言代表整个旅馆的中心思想，无怪乎营运成绩斐然。它既有助于员工与顾客、员工与员工之间的关系，也左右了主管的领导方式，甚至影响到人员的招募、训练与薪资福利。

后来，我住过同一连锁网的另一家旅馆，那里的服务水准也毫不逊色。当我问服务员饮水机在哪里时，他亲自领我到饮水机前。

更令人印象深刻的是，那里的职员居然向主管主动承认错误。当我住进旅馆的第二天，客房部经理打电话来为服务不周表示道歉，并招待我们用早餐。只为了一位服务员送饮料到我们的房间时，迟了 15 分钟，虽然我并不在乎。这名服务员若不主动报告，没有人会知道。但是他承认错误，使顾客获得更好的服务。

惟有参与，才有认同

许多组织——包括家庭，都有一个最根本的问题，就是成员并不认同集体的大目标，反而常有个人目标与企业目标背道而驰的情形。另一方面，不少企业的薪津制度与其标榜的理想不相符合。

所以在检讨企业的使命宣言时，我一定调查有多少人参与制定，又有多少人知道它的存在，并且真正认同与奉行。惟有参与，才有认同，这个原则值得强调再强调。

小孩子或新进人员很容易接受父母与企业加诸其上的观念，但长大成人或熟悉环境后，就会产生独立意志，要求参与。假使没有全体成员参与，实在难以激发向心力与热忱。这便是为什么我要一再强调，组织应开诚布公，不厌其烦地广征意见，订立全体共有的使命宣言。

◎立即行动

一、记下你做本章开头那个心灵实验时的想法，将心得列表整理。

二、确立重要的人生角色，并检讨你对目前所扮演的角色是否满意。

三、每天抽空撰写个人使命宣言，并搜集可用的资料。

四、阅读附录一，你的行为符合其中哪种类型?你是否满意?

五、设想近期内会面临的某种状况，并写下你希望获得的结果与应该采取的步骤。

六、与家人或同事分享本章的精华，并建议大家一同拟定家庭或企业的共同目标。

PUT FIRST THINGS FIRST

第 五 章

习惯三：要事第一
——自我管理的原则

有效管理是掌握重点式
的管理，它把最重要的事放
在第一位。由领导决定什么
是重点后，再靠自制力来掌
握重点，时刻把它们放在第
一位，以免被感觉、情绪或冲
动所左右。

115

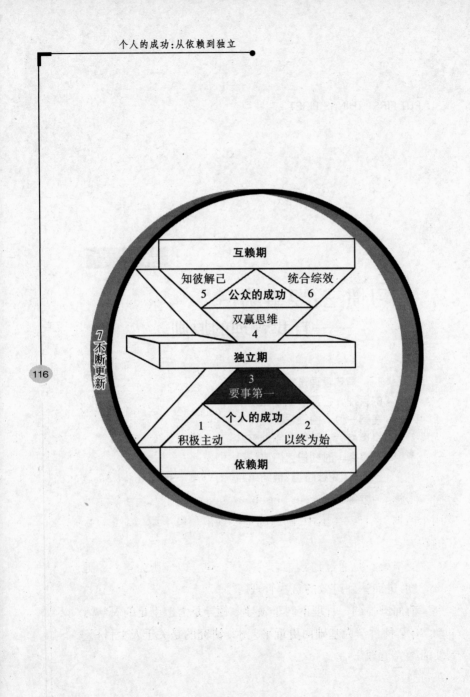

重要之事决不可受芝麻绿豆小事牵绊。

——歌德(Goethe),德国诗人

请先用几分钟的时间简短回答以下两个问题,这对你培养习惯三将是非常重要的。

●有哪件事,你经常做的话会对你个人的生活产生重大的正面影响,可是却迟迟没有去做?

●在事业上有哪件事会产生类似的效果?

我们过一会儿再讨论这两个问题的答案。现在先步入正题——习惯三:要事第一(put first things first)。这个习惯落实了前两个习惯,在日常生活中,随时随地展现出积极主动与确立目标的功夫。

要事第一是通过独立意志的发挥,建立以原则为重心的处事态度,进而达到有效的自我管理。

前面已强调,管理不同于领导。领导是力道十足的右脑活动,有某种哲学为基础而更近乎艺术,讲究的是关于人生目标、使命等大道理。

不过大方向确定之后，应落实于日常生活，此时管理就显得异常重要。管理是分析、推理、规划、应用等左脑所擅长的活动。我个人对此的格言是：左脑管理，右脑领导。

独立意志：有效管理的先决条件

除了自我意识、良知与想象力之外，真正使有效管理成为可能的是人类的第四个天赋——独立意志。有了它，人类得以做各种抉择，并依据这些抉择行事。因此独立意志是有效自我管理的先决条件。

独立意志具有不可思议的力量，屡屡创造奇迹。不过对一般人而言，如何在日常每个决定中发挥独立意志，才是最重要的课题。

独立意志的强弱，可由自制力——是否言出必行、言行一致——见出端倪，因此自制力是一项极为重要的品格。

有效管理是掌握重点式的管理，它把最重要的事放在第一位。由领导决定什么是重点后，再靠自制力来掌握重点，时刻把它们放在第一位，以免被感觉、情绪或冲动所左右。

自制力一词来源于信徒，他们信奉一种哲学，一套原则或价值观，信奉一个压倒一切的目标或代表这个目标的人。

换句话说，自制力来自内部，那是独立意志的作用。你是你自己内在价值观的信徒，具有让感情、冲动和情绪服从于价值观的意志和品德。

葛雷（E. M. Gray）所著《成功的共通性》(*The Common Denominator of Success*)一文，深获我心。终其一生，葛雷都在寻找所有成功者共通的秘诀。最后他发现，勤奋、运气或灵活的手腕虽很重要，却非关键，惟有掌握重点才是成功的不二法门。他说：

成功者能为失败者所不能为，纵使并非心甘情愿，但为了理想与目标，仍可以凭毅力克服心理障碍。

强烈的进取心可使人勉为其难，排除不急之务的牵绊。

四代时间管理理论的演进

习惯三触及许多人生管理与时间管理的问题，我研究多年的心得是：如何分辨轻重缓急与培养组织能力，是时间管理的精髓所在。

有关时间管理的研究已有相当历史。犹如人类社会从农业革命演进到工业革命，再到资讯革命，时间管理理论也可分为四代。

●第一代理论着重利用便条与备忘录，在忙碌中调配时间与精力。

●第二代理论强调行事历与日程表，反映出时间管理已注意到规划未来的重要。

●第三代是目前正流行、讲求优先顺序的观念。也就是依据轻重缓急设定短、中、长期目标，再逐日订定实现目标的计划，将有限的时间、精力加以分配，争取最高的效率。

这种做法有它可取的地方。但也有人发现，过分强调效率，把时间崩得死死的，反而会产生反效果，使人失去增进感情、满足个人需要以及享受意外之喜的机会。于是许多人放弃这种过于死板拘束的时间管理法，回复到前两代的做法，以维护生活的品质。

现在，又有第四代理论出现。与以往截然不同之处在于，它根本否定"时间管理"这个名词，主张关键不在于时间管理，而在于个人管理。与其着重于时间与事务的安排，不如把重心放在维持产出与产能的平衡上。

别让琐务牵着鼻子走

表五－1是根据新一代个人管理理论，将耗费时间的事务依据急迫性与重要性分为四类。急迫性是指必须立即处理，比方电话铃响了，尽管你正忙得焦头烂额，也不得不放下手边工作去接听。一般说来接电话总要优先于你的私人工作。

许多人不会在与你通话时让你手持电话，等上15分钟再回来，但换了在办公室，这些人却常要你枯等至少15分钟，好让他跟另一个人通完话。

急迫之事通常都显而易见，推拖不得；也可能较讨好、有趣，却不一定很重要。

重要性与目标有关，凡有价值、有利于实现个人目标的就是要事。一般人往往对燃眉之急立即反应，对当务之急却不尽然，所以更需要自制力与主动精神，急所当急。

表五－1中，第一类事务既急迫又重要，人生在世，无法避免。危机处理专家或有截稿压力的文字工作者，更是经常与之为伍。如果只专注于这类活动，终有被问题淹没的一天。他们惟一的逃避之道，便是做些无关紧要的活动（第四类），至于急迫而不重要或重要而不紧迫的事便被抛诸脑后。

也有人把大部分时间，浪费在急迫但不重要（第三类）的事务上，误以为愈急迫就愈重要。其实，急迫之事往往对别人而非对自己很重要。

只重视第三、四类事务的人,拥有的并非有意义、负责任的人生。懂得舍弃这两类无关紧要之事,对第一类要务也尽量节制,以投注更多时间于重要但眼前尚不急迫之事(第二类),才是个人管理之论。

第二类事务包括建立人际关系、撰写使命宣言、规划长期目标、防患于未然等等。人人都知道这些事很重要,却因尚未迫在眉睫,反而避重就轻。

相反地,真正有效能的人,急所当急、不轻易放过机会并防患于未然。尽管也会有燃眉之急,但总设法降至最低。

现在,回到本章开头的两个问题,请查看自己的答案属于以上哪一类事务。依我推测,答案多半是第二类。因为重要,才会使生活大为改观,却因为不够紧迫,所以受到忽略。但是只要我们立即着手进行,效能便会大为增进。

我曾问过一家购物中心的经理人员类似的问题,他们一致认为,与承租购物中心的各商店老板建立良好关系,最有助于业绩进展。这属于第二类活动。

但经过调查发现,他们只有不到5%的时间用在这上面。这也难怪,太多的事情使他们分身乏术:开会、写报告、打电话等第一类公务已经使人筋疲力竭。纵使难得与各商店老板接洽,也不外乎收帐、讨论分摊广告费等令对方不快的事。

至于承租商店者则各有一本难念的经,他们希望购物中心的管理人员能帮助解决问题,而不是制造问题。

于是购物中心方面决定改弦更张,在理清经营目标与当务之急后,就以1/3的时间,改进与各商店的关系。施行了1年半左右,不但业绩提高4倍多,经理人员也成为各商店的倾听者、训练者与顾问,不再是监督者或警察。

表五－1　事务分类表

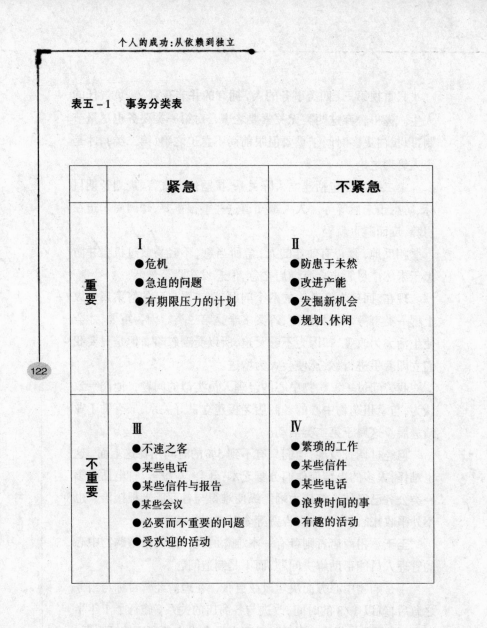

	紧急	不紧急
重要	**I** ●危机 ●急迫的问题 ●有期限压力的计划	**II** ●防患于未然 ●改进产能 ●发掘新机会 ●规划、休闲
不重要	**III** ●不速之客 ●某些电话 ●某些信件与报告 ●某些会议 ●必要而不重要的问题 ●受欢迎的活动	**IV** ●繁琐的工作 ●某些信件 ●某些电话 ●浪费时间的事 ●有趣的活动

图 5 - 1　偏重第一类事务

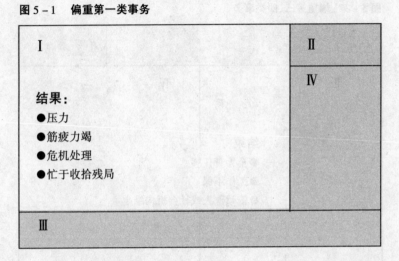

I	II
结果:	IV
●压力	
●筋疲力竭	
●危机处理	
●忙于收拾残局	
III	

图 5 - 2　偏重第三类事务

I	II
III	IV
结果:	
●短视近利	
●危机处理	
●被视为巧言令色	
●轻视目标与计划	
●缺乏自制力,怪罪他人	
●人际关系浮泛,甚至破裂	

123

图 5－3　偏重第三、四类事务

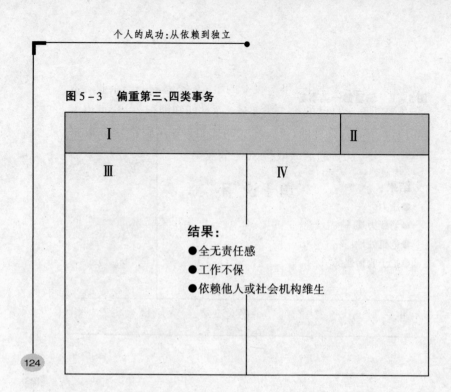

图 5－4　偏重第二类事务

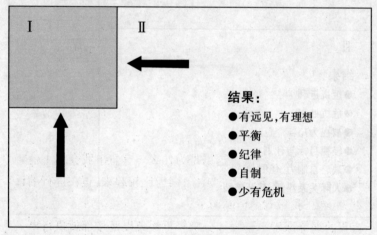

因此，不论大学生、生产线上的工人、家庭主妇与企业负责人，只要能确定自己的第二类要务，而且即知即行，一样可以事半功倍。用时间管理的行话说，这叫作帕累托法则(Pareto Principle)——以 20% 的活动取得 80% 的成果。

勇于说"不"

若要集中精力于当急的要务，就得排除次要事务的牵绊，此时需要有说"不"的勇气。

我的妻子曾被选为社区计划委员会的主席，可是既放不下许多更重要的事，又不好意思拒绝，只好勉为其难地接受。后来她打电话给一位好友，问她是否愿意在委员会工作，对方却婉拒了，我的妻子大失所望地说："我那时也能拒绝就好了。"

这不是说社区活动或社会服务不重要，而是人各有志，各有优先要务。必要时，应该不卑不亢地拒绝别人，在急迫与重要之间，知道取舍。

我在一所规模很大的大学任师生关系部主任时，曾聘用一位极有才华又独立自主的撰稿员。有一天，有件急事想拜托他。

他说："你要我做什么都可以，不过请先了解目前的状况。"

他指着墙壁上的工作计划表，显示超过 20 个计划正在进行，这都是我俩早已谈妥的。

然后他说："这件急事至少占去几天时间，你希望我放下或取消哪个计划来空出时间？"

他的工作效率一流，这也是为什么一有急事我会找上他。但我无法要求他放下手边的工作，因为比较起来，正在进行的计划更为重要，我只有另请高明了。

我的训练课程十分强调分辨轻重缓急以及按部就班行事。

125

我常问受训人员：你的缺点在于——

(一)无法辨别事情重要与否？
(二)无力或不愿有条不紊地行事？
(三)缺乏坚持以上原则的自制力？

答案多半是缺乏自制力，我却不以为然。我认为，那是"确立目标"的功夫还不到家使然。而且不能由衷接受"事有轻重缓急"的观念，自然就容易半途而废。

这种人十分普遍。他们能够掌握重点，也有足够的自制力，却不是以原则为生活重心，又缺乏个人使命宣言。由于欠缺适当的指引，他们不知究竟所为何来。

以配偶或金钱、朋友、享乐等为重心，容易受第一与第三类事务羁绊。至于自我中心者难免被情绪冲动所误导，陷溺于能博人好感的第三类活动，以及可逃避现实的第四类事务。这些诱惑往往不是独立意志所能克服，只有发乎至诚的信念与目标，才能够产生坚定说"不"的勇气。

集大成的时间管理理论

第一代的时间管理理论丝毫没有"优先"的观念。固然每做完备忘录上的一件事，会带给人成就感，可是这种成就不一定符合人生的大目标。因此，所完成的只是必要而非重要的事。

然而好此道者不在少数，因为阻力最少，痛苦与压力也最少。更何况，根据外在要求与规律行事，容易推卸责任。这类经理人缺乏效率，缺乏自制力与自尊。

第二代经理人自制力增强了，能够未雨绸缪，不只是随波逐流,但是对事情仍没有轻重缓急之分。

第三代经理人则大有进步,讲究理清价值观与认定目标。可惜,拘泥于逐日规划行事,视野不够开阔,难免因小失大。第一、三类事务往往占去所有的时间,这是第三代理论最严重的缺失。

不过以上三代理论的演进,仍有可资借鉴的地方。第四代理论便在旧有基础上,开创新局面。以原则为重心,配合个人对使命的认知,兼顾重要性与急迫性;强调产出与产能齐头并进,着重第二类事务的完成。

管理方法六标准

有效的个人管理方法须符合以下标准:

一、一致:个人的理想与使命、角色与目标、工作重点与计划、欲望与自制之间,应和谐一致。

二、平衡:管理方法应有助于生活平衡发展,提醒我们扮演不同的角色,以免忽略了健康、家庭、个人发展等重要的人生层面。有人以为某方面的成功可补偿他方面的遗憾,但那终非长久之计。难道成功的事业可以弥补破碎的婚姻、孱弱的身体或性格上的缺失?

三、有重心:理想的管理方法会鼓励并协助你,着重虽不紧迫却极重要的事。我认为,最有效的方法是以一星期为单位订定计划。一周 7 天中,每天各有不同的优先标的,但基本上 7 日一体,相互呼应。如此安排人生,秘诀在于不要就日程表订定优先顺序,应就事件本身的重要性来安排行事历。

四、重人性:个人管理的重点在人,不在事。行事固然要讲求效率,但以原则为重心的人更重视人际关系的得失。因此有

127

效的个人管理偶尔须牺牲效率，迁就人的因素。毕竟日程表的目的在于协助工作推行，并不是要让我们为进度落后而产生内疚感。

五、能变通：管理方法应为人所用，不可一成不变，视个人作风与需要而调整。

六、携带方便：管理工具必须便于携带，随时可供参考修正。

根据实际经验，我设计出一种符合以上诸条件的表格。其实，许多优秀的第三代管理工具，也值得采用，只是实际做法或具体运用因人而异罢了。以下举实例说明如何以原则为重心，建立起充分掌握重点的一周行事历。

个人管理四步骤

有效的个人管理可分为四个步骤：

●确定角色——首先，写下个人认为重要的角色。假若以往不曾认真考虑这个问题，就把这时闪过脑际的角色逐一写下。除了"个人"以外，父母、儿女、职员、老师……凡是你愿意定期投入时间精力的，都可以纳入其中。

不必想得太严肃，仿佛立下终身职志，只须考虑未来一周中应该扮演的角色即可。

请看以下两例，是一般人如何看待他们所扮演的各种角色：

一、个人
二、丈夫/父亲
三、新产品经理
四、研究经理
五、人事经理

六、行政经理

七、公司董事长

一、个人发展

二、妻子

三、母亲

四、房地产推销员

五、主日学老师

六、交响乐团董事

●选择目标——其次，为每个角色订定未来 1 周欲达成的 2 至 3 个重要成果，列入目标栏中(请看表五－2)。

这些短期目标应与使命宣言中的终极目标有所关联，至少有一部分如此。即使不曾写过使命宣言，也可以自己设想每一角色及重要目标。在未来 1 周的目标中，务必有一些真正重要但不急迫之事。

●安排进度——现在，根据上面所列目标，安排未来 7 天的行程。比方说，目标之一是完成个人使命宣言初稿，那么不妨在周日抽出连续 2 个小时完成此事。通常星期日(或一周中对你最有意义或最特殊的一天)，正是思考如何提升自我及规划一周行事的最佳时刻。

再比方，锻炼身体是你的目标，那么不妨安排 3 至 4 天，每天运动 1 小时。

有些目标可能必须在办公时间完成，有些得在全家共聚一堂时实现。

每个目标都可当做某一天的第一要务，更理想的是当做特殊的约会，全力以赴。对本年度或 1 个月内已定的约会则一一检

129

讨,凡是符合个人目标的加以保留,否则便取消或更改时间。

在表五－2中,一共有 19 个目标,大致都很重要,分别安排在 7 天内。左下角的方格是"精益求精"栏,提醒你定期就身体、心智、精神、社会情感四个层面,来检讨追求人生目标后的情况。详情请参阅第十章。

经过一番规划,这张"一周行事历"中,居然还留有不少空白。

图 5—5　规划长期目标

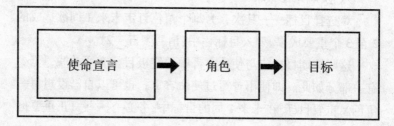

图 5—6　规划每周目标

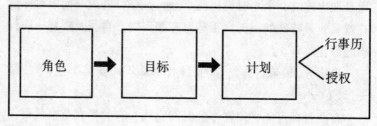

表五—2

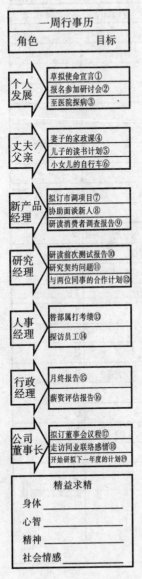

一周行事历	
角色	目标

个人发展
- 草拟使命宣言①
- 报名参加研讨会②
- 至医院探病③

丈夫/父亲
- 妻子的家政课④
- 儿子的读书计划⑤
- 小女儿的自行车⑥

新产品经理
- 拟订市调项目⑦
- 协助面谈新人⑧
- 研读消费者调查报告⑨

研究经理
- 研读前次测试报告⑩
- 研究契约问题⑪
- 与两位同事的合作计划⑫

人事经理
- 替部属打考绩⑬
- 探访员工⑭

行政经理
- 月终报告⑮
- 薪资评估报告⑯

公司董事长
- 拟订董事会议程⑰
- 走访同业联络感情⑱
- 开始研拟下一年度的计划⑲

精益求精
身体 _____
心智 _____
精神 _____
社会情感 _____

本周起迄日期	周日	周一
本周优先要务	今日要务	
		⑯薪资评估报告
	约会与承诺	
	8 ①个人时间	8
	9 草拟使命	9
	10 宣言	10
	11	11 ⑧协助面谈
	12	12 新进人员
	1	1
	2	2
	3	3
	4	4 ③至医院探病
	5	5
	6	6
	7	7 ⑥小女儿的自行车
	8	8
	晚上	晚上

131

习惯三：要事第一——自我管理的原则

周二	周三	周四	周五	周六
今日要务				
②报名参加研讨会	⑫与同事的合作计划		⑭探访员工	
			约会与承诺	
8	8	8	8	8 ④妻子的家政课
9	9 ⑦拟订市调	9 ⑪研究契约	9 ⑩研读前次测试	9
10	10 项目	10 问题	10 报告	10
11	11	11	11⑱拜访同业	11
12	12	12	12	12
1 ⑨研讨消费者	1	1	1	1
2 调查报告	2	2	2	2
3	3	3 ⑬替部属	3	3
4	4	4 打考绩	4 ⑮月终报告	4
5	5	5	5	5
6⑤儿子的读书计划	6	6⑰拟订董事会	6	6
7	7	7 议程	7	7
8	8	8⑲研拟下年度计划	8	8
晚上	晚上	晚上	晚上	晚上 7点到剧院看戏

足以应付突发事件,调整工作日程,建立人际关系,或偷得浮生半日闲。由于一切都在个人掌握之中,便无须瞻前顾后。

●逐日调整——每天早晨依据行事历,安排一天的大小事务。第三代理论强调的逐日计划行事,在此可以派上用场,使事情井然有序,不致因小失大。

从以上的实例,你是否已心领神会这种做法的可贵之处?依据我个人的心得,以及许多人受益的情形,我深信这种做法确实不同凡响。

执行程序

第三个习惯重在身体力行。就仿佛程序设计员设计出程序后,计算机必须加以执行。

顺从别人的意愿,完成他人眼中的要务,或无牵无挂地享受既不紧张又不重要的活动,岂不轻松愉快?至于执行自己依理性原则设计出的程序,则或多或少考验着自制力,此时就得靠诚心正意的修养功夫,坚定意志。

俗语说:“天有不测风云,人有旦夕祸福。”事先安排妥当的行事历,必要时仍须有所更动。只要把握原则,任何调整都心安理得。

我有个儿子,一度对追求效率十分着迷,每天的行程都安排得相当紧凑。到后来,日程表居然已细分到以分钟为单位。记得有那么一天诸事顺利,他依计划洗车、借书……但到了“与女友分手”这一项,事先的计划完全打破。

原本他只安排了10至15分钟打电话,向女友解释一切。没想到,解释了1个半小时,还难以收场,因为女友实在无法接受这突如其来的打击。这再一次证明,对人不可讲效率,对事才可如此。

对人应讲效用——即某一行为是否有效。

为人父母者，尤其是母亲，常耗费所有的时间照顾小孩，以致一事无成，备感挫折。但挫折多来自有所期望，而这期望反映的却是社会价值观，不是个人的价值观。若想要克服因社会价值观而产生的内疚感，可以依靠习惯二——以终为始。

第四代个人管理理论的特点，在于承认人比事更重要。而芸芸众生中，首要顾及的便是自己。它比第三代理论高明之处是：强调以原则为重心，以良知为导向，针对个人独有的使命，帮助个人平衡发展生活中的不同角色，并且全盘规划日常生活。

高效能的秘诀——授权

授权是提高效能或效能的秘诀之一，可惜一般人多吝于授权，总觉得不如靠自己更省时省事。

其实把责任分配给其他成熟老练的员工，才有余力从事更高层次的活动。因此，授权代表成长，不但是个人，也是团体的成长。已故名企业家潘尼(J. C. Penney)曾表示，他这一生中最明智的决定就是"放手"。在发现独立难撑大局之后，他毅然决然放手让别人去做，结果造就了无数商店、个人的成长与发展。

由此可见，授权也与公众的成功有关，这一点留待第六章加以讨论。此处专论授权与个人管理技巧的关系。

授权是事必躬亲与管理之间的最大分野。事必躬亲者凡事不假外求。不放心子女、宁可自己洗碗的父母，自绘蓝图的建筑师或自己打字的秘书，都属于这一类。

反之，管理者注重建立制度，然后汇集群力共同完成工作。比如分派子女洗碗的父母，领导一群设计人员的建筑师，或监督其他秘书与行政人员的执行秘书。

假定事必躬亲者花 1 小时可产生 1 单位的成果（如图 5－7），那么管理者经由有效的授权，每投入 1 小时便可产生 10 倍、50 倍，甚至 100 倍的成果，其中诀窍不过是将杠杆支点向右移而已(如图 5－8)。

图 5—7

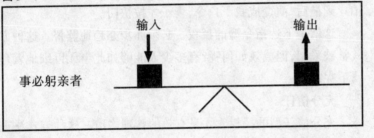

图 5—8

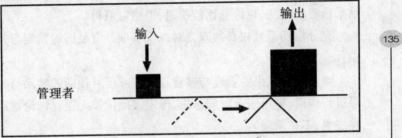

两种类型的授权

授权依型态可分为两种，一是"下达指令"型，一是"充分信任"型。

下达指令

放不开手的管理者坚持一人独挑大梁，属下惟命是从，意即不做任何决策、不负任何责任。

有一次，我们全家去滑水。擅长滑水的儿子由我驾船拖着滑行，我的妻子负责拍下他的精采动作。起先我叮咛她慎选镜头，因底片所剩不多。后来发现她对相机性能不熟，就频频面授机宜：要等太阳落在船的前方，且儿子表现美妙动作时再按快门。

可是愈担心底片不够或妻子技术欠佳，我愈无法放手让她拍。到最后，演变成我下口令，妻子才按快门。

这就是下达指令型的授权，必须亦步亦趋地监督。这种方式常被采用，但成效如何呢?有多少人能够如此事无巨细地管理属下呢?

充分信任

充分信任型的授权，才是有效的管理之道。这种方式注重的是结果，不是过程。获授权者可自行决定如何完成任务，并对结果负责。起初，也许会比较费时，但绝对值得。

充分信任型授权必须双方对以下事项，有足够的默契与共识：

●预期的成果：管理与被管理的一方须对预期的结果与时限进行沟通，宁可多花时间讨论，确定彼此认知无误。讨论重点在成果，不在手段。

●应遵守的规范：授权有一定的限度，所以必须加以规范，但切忌太多，约束太多。

然而也不可过度放任，以致违背了原则。对可能出现的难题与障碍，应事先告知对方，避免无谓的摸索。

●可用的资源：双方确定可用的人力、物力、财务、技术或其他资源。

●责任的归属：约定考评的标准及次数。

●明确的奖惩：依据考评结果订定赏罚，包括金钱报酬、精神奖励与职务调整等等。

仍以我家为例来说明。有一年，我们开家庭会议，讨论共同的生活目标以及工作分配。会议结果不问可知，因为孩子还小，我与妻子分担了大部分工作。当时年仅 7 岁的史蒂芬已相当懂事，自愿负责照顾庭院，于是我认真指导他如何做个好园丁。

我指着邻居的院子对他说："这就是我们希望的院子——绿油油而又整洁。除了上油漆以外，你可以自己想办法使院中充满绿意，用水桶、水管或喷壶浇水都行。"

又为了把我所期望的整洁程度具体化，我俩当场清理了半边的院子，好给他留下深刻的印象。

经过两星期的训练，史蒂芬终于完全接下了这个任务。我们协议一切由他作主，我只在有空时从旁协助。此外，每周两次，他必须带我巡视整个院子，说明工作成果，并自行判断表现成绩。

当时并未谈到零用钱的问题，不过我很乐意付这笔钱。我想，7 岁大的孩子应该已有责任感，足以负担这个任务。

那一天是星期六，一连过了 3 天，史蒂芬毫无动静。星期六才做的决定，我不奢望他立即行动，星期天也不是工作日，可是星期一他依然故我。到星期二，我已经有些按捺不住。不幸的是，下班之后，院内脏乱依旧，史蒂芬却在对街的公园里嬉戏。

我感到极度失望，忍不住想要唤他过来整理院子。这么做可收立竿见影之效，却会给孩子推卸责任的借口。于是我勉为其难忍耐到晚餐用毕，才对他说："照前几天的约定，你现在带我到院子里，看看工作成绩，好不好？"

才出门他就低下头，过不多久更抽噎地哭起来。

"爸，这好难哟！"

很难？我心里想：你根本什么都没做。不过我也明白，难的是自动自发，于是我说："需不需要我帮忙呢？"

"你肯吗？爸！"

"我答应过什么？"

"你说有空的时候会帮我。"

"现在我就有空。"

他跑进屋去拿来两个大袋子，一人一个，然后指着一堆垃圾说："请把那些捡起来好不好？"

我乐于从命，因为他已开始负起照顾这片园地的责任。

那年暑假我总共又帮了两、三次忙，之后他就完全独立作业，悉心照顾一切。甚至哥哥姐姐乱丢纸屑，立刻就会受到指责。他做得比我还好。

信任可以激发最强烈的动机，使人全力以赴，但需要时间与耐心。惟有经过相当的训练与陶冶，才能培养足够的能力，不致有辱使命。

我相信，善于授权可以收事半功倍之效，且对双方都有益处。不过授权者必须真心诚意以管理为出发点，而不是只求效果。比方整理房间，做父母的自然是得心应手。但为了训练子女，就得耐住性子，给他们时间，放手让他们去做，父母只能从旁指导。纵使一时浪费时间，将来却能省掉不少麻烦，这种投资绝对值。至于获授权的人，既拥有自主权，也就无从推委，惟有竭力达成目标，不负所托。

授权的大原则不变，权限却因人而异。对不够成熟的人，目标不必订得太高，指示要详尽，并且充分提供资源；监督考核则较频繁，奖惩也更直接。对成熟的人，可分配挑战性高的任务，精简指示，减少监督考核的次数，考评标准则较为抽象。

成功的授权是有效管理的表征，重要性可想而知。在附录二中有一则实例，说明办公时把握要点可发挥庞大的力量。

◘立即行动

一、找出一件一直为你所忽略，但是会对个人或事业产生重大影响的事，写下来作为近期目标。

二、根据表五-1估计自己花在这四类事务上的时间，然后连续3天记录行事历，每15分钟为1单位，验证估计正确与否。你是否满意自己运用时间的方式？有没有应当改弦更张之处？

三、列举可授权的事项及合适的授权对象，并付诸行动。

四、规划下一周的活动，依据不同的角色设定目标，再把目标转换成行动，列入行事历。一周过后，检讨自己是否成功地把人生目标和价值观溶入日常生活，意志是否坚定？

五、下定决心，以后每周固定规划行事历，并选择一定时间来进行。

六、设计合用的表格，可参考本书范例。

七、阅读附录二的实例。

139

公众的成功：
从独立到互赖

第三部分

你不是一座孤岛

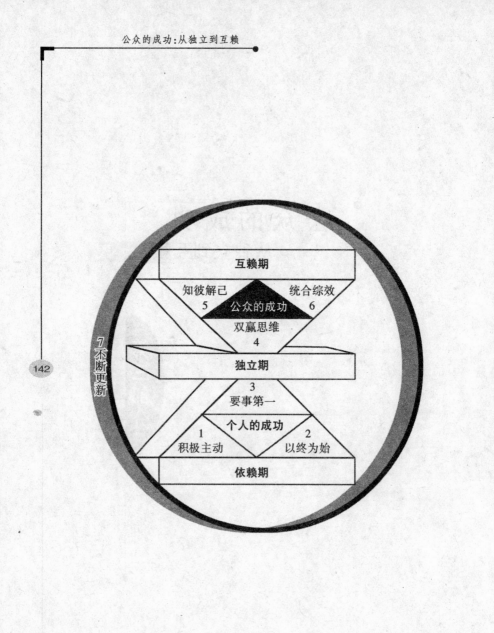

第六章

你不是一座孤岛

所谓感情账户，储存的是增进人际关系不可或缺的"信赖"，也就是他人与你相处时的一分"安全感"。

能够增加感情账户存款的，是礼貌、诚实、仁慈与信用。

反之，粗鲁、轻蔑、威逼与失信等等，会降低感情账户的余额，到最后甚至透支，人际关系就得拉警报了。

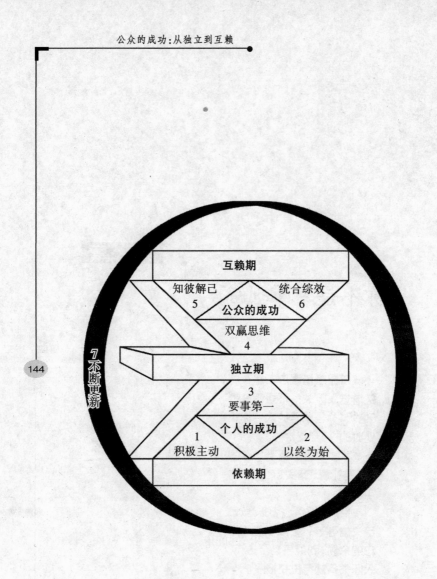

友谊不可缺少信任，信任不可缺少诚信。

——约翰逊(Samuel Johnson)，英国辞典编纂家兼作家

　　个人独立不代表真正的成功，圆满人生还须追求公众的成功。不过，群体的互赖关系须以个人真正的独立为先决条件，想要抄近路是办不到的。

　　有一次在俄勒冈州沿岸主持研讨会时，有位仁兄向我抱怨："实在很不想来参加这种研讨会!"这句话立刻引起我的注意。

　　他接着说："看看其他人，个个都颇有收获，这儿的海滩美景又是那么迷人。而我，却只能坐在这儿，为我妻子今晚要在电话里对我的盘问发愁。

　　"每次出远门，不论到哪里，她的电话一定紧追不舍，还问东问西：在哪儿吃早餐? 有没有碰上熟人? 几时用午餐? 吃了些什么? 下午怎么过的? 晚上怎么消遣……

　　"把我从早到晚的一举一动都打听得清清楚楚，恨不得找个目击证人查证一番。害得我每次参加这种活动，心理负担都很重，哪有心思在正事上?"

看起来,他的确很痛苦。我们继续交谈了一会儿,忽然有句话又引起了我的注意。他略显腼腆地说:"她其实很了解,我就是在一个类似的研讨会上遇见她的……当时我已经有家室了!"

我玩味这句话的涵意,然后说:"你是那种追求速效的人,对不对?"

"这话什么意思?"

"你希望奇迹出现,只要一把螺丝起子,把尊夫人的大脑打开,改写一下程序,好让她立刻脱胎换骨,对不对?"

"当然啦!我巴不得她能够改变作风,我实在被她烦得受不了。"

我说:"老兄,解决问题不能光用嘴说,还得以身作则来感动别人。"

认识你自己

这是一个很重要的观念——良好人际关系的基础是自制与自知之明。有人说,爱人之前,必须先爱自己。此言果然不虚,但是我更强调人贵知己。了解自我才懂得分寸,也才能真正爱护自己。

所以说,独立是互赖的基础。缺乏独立人格,却一味玩弄人际关系的技巧,纵使得逞于一时,也不过是运气罢了。处顺境之中,还可任你为所欲为。但天有不测风云,一旦面临逆境,技巧便不可靠了。

维系人与人之间的情谊,最要紧的不在于言语或行为,而在于本性。言不由衷、虚伪造作的表面功夫很快就会被识破,如此将何以建立圆满的互赖关系?

由此可见,修身是公众成功的基础。完成修身的功夫后,再向前看，面前又是一片崭新的领域。良好的互赖关系可以使人享有深厚丰富的情感交流，不断跃进的成长以及为社会服务奉献的机会。

不过，这也是最容易带来痛苦与挫折的领域，横亘在眼前的障碍纷至沓来，令人疲于应付。个人生活的缺失，比如浑浑噩噩、漫无目标，只会在偶尔刺激一下时，使你于心难安，而思有所振作，但很快就习以为常、视若无睹了。

人际关系的挫折就不这么单纯了。它所带来的痛苦，往往十分剧烈，令人无所遁形。无怪乎各种标榜速效的人际关系成功术，盛行一时，只可惜强调表面功夫的权术只能治标，不能治本。人际关系的得失其实取决于更深一层的因素；舍本逐末将适得其反。

这里，再借用鹅生金蛋的比喻来说明。鹅——良好的互赖关系，会生出完美的金蛋——团队合作、开诚布公、积极互动以及高效能。为使鹅能够不断生金蛋，就得悉心呵护，习惯四、五、六即着眼于此。其次，我们再以"感情账户"(emotional bank account)作比喻，解析人际关系中，产出与产能平衡的原理。

为感情开个账户

众所周知，在银行里开个户头，就可储蓄以备不时之需。所谓感情账户，储存的是增进人际关系不可或缺的"信赖"，也就是他人与你相处时的一分"安全感"。

能够增加感情账户存款的，是礼貌、诚实、仁慈与信用。这使别人对我更加信赖，必要时能发挥相当作用，甚至犯了错也可用这笔储蓄来弥补。有了信赖，即使拙于言辞，也不致开罪于人，因为对方不会误解你的用意。所以信赖可带来轻松、直接且有效的沟通。

反之，粗鲁、轻蔑、威逼与失信等等，会降低感情账户的余额，到最后甚至透支，人际关系就得拉警报了。

这就仿佛走在满布地雷的战场上，一言一行都步步为营。为求自保，不得不玩弄手腕权术，以致人人神经紧张，许多家庭、团体都充斥着这种现象。

人类最亲密的婚姻关系又何尝不是如此？尽管一开始结合在互信的基础上，倘若不继续储蓄，仍有关系恶化的危险。好一点的同床异梦，勉强生活在同一屋檐下，各自为政。恶劣的则恶言相向、大打出手，甚至劳燕分飞。

愈是持久的关系，愈需要不断的储蓄。由于彼此都有所期待，原有的信赖很容易枯竭。你是否有过这种经验，偶尔与老同学相遇，即使多年未见，仍可立刻重拾往日友谊，毫无生疏之感，那是因为过去累积的感情仍在。但经常接触的人就必须时时投资，否则突然间发生透支，会令人措手不及。

这种情形在青春期子女身上尤其明显。亲子交谈的内容不外乎：维持整洁、用功读书、把收音机音量开小一点、别忘了倒垃圾等等，感情账户很快就会透支。

孩子一旦面临一生中最重大的抉择，由于对父母极不信任，沟通的管道又不畅通，保证他决不愿征求父母的意见。纵使父母的阅历，足以提供更好的建议，他也宁可自作主张。

所以为人父母者，何不就从现在起，设法扭转颓势，对子女多表达一份关怀。比方买本他最想要的书，协助他做功课、整理内务。最重要的是，不要只顾教训、责骂。要善于聆听孩子的心声，让他感觉父母是真心关怀，把自己当一个完整的人看待。

或许，态度突然变得亲切会启人疑窦："老爸的目的何在?老妈想在我身上套用什么技巧?"好在,只要不断付出,感情账户的存款自会增加,透支自会减少,亲子关系也会自然而然改善。这需要时间与耐心,别因指望速效而轻言退缩,更不可埋怨子女不知感恩图报,否则连过去的心血也将付诸东流。

存入六种感情存款

在感情账户里,可存入六种主要存款:

一、理解别人

理解别人是一切感情的基础。人如其面,各有所好。同一种行为,施行于某甲身上或许能增进感情,换了某乙,效果便可能完全相反。因此只有了解并真心接纳对方的好恶,才可以增进彼此的关系。比方6岁的孩子趁你正忙的时候,为一件小事来烦你。在你看来此事或许微不足道,在他小小心灵中,却是天下第一要事。此时就得借助于习惯二,来认同旁人的观念与价值;运用习惯三,以对方的需要为优先考虑而加以配合。

我一位朋友的儿子对棒球近于痴迷,而朋友却丝毫不感兴趣。有一年暑假,他居然带着儿子看遍每支主要球队的比赛,总共花去6星期与不少金钱,但对增进父子亲情的助益却无法估量。

有人问他:"你真非常爱棒球吗?"

他答:"不,我只是非常爱我的孩子。"

另一位朋友是大学教授,专心致志于学术研究,对不肯用脑、只爱动手的儿子,总斥为浪费生命。可想而知,父子的关系有多么恶劣。

偶尔他也会良心发现,想要挽回孩子的心,可惜从未成功。10岁的儿子则认为,父亲时时刻刻不忘记批评,把他与别人相

149

比,却从未真正接纳他。即使父亲向他示好,也会被曲解。到后来,做父亲的简直心碎了。

幸好有一天,我跟朋友谈起"视人之事如己之事"的观念,他牢记在心。回到家,就设法说服儿子,一同动手把住宅四周的围墙改建成万里长城的式样。这件大工程持续了1年半之久,他们父子终于有长期相处的经验。儿子耳濡目染,也养成与父亲一般爱动脑的习惯。不过,他俩真正的收获还在于巩固了父子真情。

一般人总习惯于以己之心,度人之腹,以为自己的需要与好恶,别人也会有同感。待人处事若以此为出发点,一旦得不到良好的回应,便武断地认为是对方不知好歹,而不愿再付出。

所谓"己所不欲,勿施于人"。表面上看来,似乎是说,己所欲便要施于人。但我认为,这句话的真谛在于——要想被别人理解,就得先理解别人。

二、注意小节

一些看似无关紧要的小节,如疏忽礼貌,不经意的失言,其实最能消耗感情账户的存款。在人际关系中,最重要的正是这些小事。

记得多年前的一天,我像往常一样,带着两个儿子出门看运动比赛,吃点心,然后赶一场电影。结果电影看到一半,4岁的小儿子西恩就睡着了。散场以后,我把他抱回车上。当晚天气很冷,我脱下外套给他盖上、掖好,然后打道回府。

回到家,把西恩送上床,我又照顾6岁的史蒂芬准备就寝。他上床以后,我躺在他身边,父子俩聊着当晚的趣事。

平常他总是兴高采烈地忙着发表意见,那天却累得异常安静,没什么反应。我很失望,也觉得有点不对劲。突然史蒂芬偏

过头去,对着墙。我翻身一看,才发现他眼中噙着泪水。我问:
"怎么啦?孩子,有什么不对吗?"

他转过头来,有点不好意思地问:

"爸,如果我也觉得冷,你会不会也脱下外套披在我身上?"

原来,那一晚所有的趣事都比不上这小小一个动作,他居然吃起弟弟的醋了。

然而,这对我却是一个很大的教训,至今难忘。原来,人的内心是如此敏感、脆弱。不分男女老少,不分贫贱富贵,即使外表再坚强无情,内心仍有着细腻脆弱的情感。

三、信守承诺

守信是一大笔收入,背信则是庞大支出,代价往往超出其他任何过失。一次严重的失信使人信誉扫地,再难建立起良好的互赖关系。

因此,为人父母,我要求自己决不轻易对子女许诺。即使不得不如此,事先一定尽量考虑所有可能发生的变数与状况,避免食言。惟有守信才能赢得子女的信赖,惟有信赖,才能让子女在关键时刻听从你的意见。

当然,偶尔也会有人力无法控制的意外发生。不过就算客观环境不允许,我依然尽力实践诺言,知其不可而为了,因为我重承诺。否则我也会详细说明原委,请对方让我收回承诺。

四、阐明期望

假设你与上司对于该由谁来写工作鉴定有分歧,想象一下你可能遇到的麻烦吧!

"我何时能拿到我的工作鉴定?"你可能这样问。

"我一直在等你带一份给我,这样我们可以就它进行讨论。"你的上司可能这样回答。

"我原以为那是你的任务。"

"那根本不是我的任务。你忘了吗?从一开始我就说,你在工作中怎么做主要取决于你。"

"我以为你是说我工作做得好坏主要靠我。但我甚至还不知道我的工作到底是什么。"

对目标的期望不明确也会影响交流,削弱信任。

"我完全照你的要求去做了,这是我的报告。"

"我要的不是报告,而是解决问题。"

"我以为只是把问题理清,好把它交给别人去做。"

几乎所有人际关系的问题,都源于彼此对角色与目标的认识不清,甚至相互冲突所致。所以,不论在办公室交代工作,或在家分配子女家务,都是愈明确愈好,以免产生误会、失望与猜忌。

对切身相关的人,我们总会有所期待,却误以为不必明白相告。以婚姻为例,夫妻双方都期盼对方扮演某些角色,却从不开诚布公地讨论,有些人甚至连自己怀抱着哪些期望都不清楚。对方若不负所望,婚姻关系自然美满,反之则不然。

这种心理导致太多问题。我们总认为,关系既然如此密切就应有默契。殊不知,其实不然。因此,宁可慎乎始,在关系开始之初,就明确了解彼此的期待,纵使需要投入较多时间精力,却能省去日后不少麻烦,这是一种必要的储蓄。否则,单纯的误会可能一发不可收拾,阻绝了沟通的渠道。

坦诚相待有时需要相当的勇气;逃避问题,但愿船到桥头自然直,反倒来得轻松。但就长远看,慎乎始总胜过事后懊悔莫及。

五、诚恳正直

诚恳正直可赢得信任,是一项重要存款。反之,已有的建树也会因行为不检而被抹杀。一个人尽管善解人意，不忽视小节，守信，又不辜负期望；可是行为不诚恳就足以使感情账户出现赤字。

背后不道人短，是诚恳正直的最佳表现。在人后依然保持尊重之心，可以赢得在场者的信任。

假定你有与同事在背后抨击上司的习惯，一旦彼此交恶，对方难道不会怀疑，你也在他背后飞短流长吗？你在人前甜言蜜语、人后大加挞伐的习惯，他知之甚详，这种行为能增加信任吗？

如果有人向我发牢骚，对上司不满。我会告诉他，基本上我同意他的看法，但我建议一同去找主管，委婉地把问题说明白。这么做，对方便了解，若有人在我面前批评他，我会有什么反应。

再举例来说，有些人为了争取友谊，不惜揭第三者之短："我本来不该告诉你的，可是既然你我是好友，那……"背叛能够赢得信任吗？还是会引起戒心？这样的言行表面看来仿佛是储蓄，事实上是支出，个人的缺点因此表露无遗。有些人或许能从贬低他人那里获得金蛋——暂时的乐趣，但这样做其实是在扼杀下蛋的鹅，损害的是人际交往中的持久乐趣。

诚恳正直其实并不难做到，只要对所有人抱持相同原则，一视同仁即可。纵使起初并非人人都能接受这种作风，因为在人后闲言闲语、臧否人物，是人的通病；不同流合污，反而显得格格不入。好在路遥知马力，日久见人心，诚恳坦荡终会赢得信任。

我儿子乔舒亚很小的时候，经常提出一些让我自省的问题。每当我对别人反应过头，或者稍微有些不耐烦或不客气的时候，他总是显得非常柔弱、非常老实，天真地看着我的眼睛问："爸爸，你爱我吗？"他或许认为我对某人违背了原则，想知道我对他会不会也违背这条原则。

作为一名教师和家长，我发现，争取学生或子女信赖的关键往往系于一人，尤其是其中最难缠的那一个。但若能以爱心与一贯的态度诚实对待此人，都会看在其他 99 人眼里。从一个特例身上，他们会知道某位师长是否值得信赖。

因此，请避免矫饰、欺骗、表里不一，做个童叟无欺的人吧!

六、勇于道歉

向感情银行提款时，应勇于道歉。发乎至诚的歉意足以化敌为友，例如：

"是我不对。"

"我对你不够尊重，十分抱歉。"

"在别人面前令你下不了台，虽然是无心之过，可是也不应该，我向你道歉。"

这种勇气并非人人具备，只有坚定自持、深具安全感的人能够做到。缺乏自信的人惟恐道歉会显得软弱，让自己受伤害，使别人得寸进尺。还不如把过错归咎于人，反而更容易些。

有句名言说："弱者才会残忍，只有强者懂得温柔。"

一天下午，我在家里写关于耐心问题的文章。孩子们在门厅里跑来跑去，我感觉自己的耐心正在消失。

突然，儿子戴维一边敲浴室的门，一边扯着嗓子大喊："让我进去! 让我进去!"

我冲出书房，厉声说："戴维，你知不知道这多妨碍我? 你知不知道要集中精力写东西有多么难?快回你房间去，等规矩一些的时候再出来。"他只好垂头丧气地进了房间，关上房门。

当我转过身来时，我意识到了另一个问题。这些男孩原来是在 4 英尺宽的门厅里玩橄榄球。有一个孩子的嘴被撞着了，躺在地上，血流如注。我才知道戴维到浴室是为了给他取条湿毛巾，但他姐姐玛利亚正在洗澡，不让他进去。

我知道自己反应过了头，立即到戴维的房间向他道歉。

我推开门，他劈头就对我说："我决不原谅你。"

"为什么不，宝贝？说真的，我不知道你是在设法帮你的兄弟。你为什么不原谅我？"

"因为你上星期也做了同样的事情。"他回答说。换句话，他是在说："爸爸，你已经透支了，你那样说是不能解决你行为的后果的。"

由衷的歉意是正数，但习以为常就会被视为言不由衷，变成负数。一般人可以容忍错误，因为错误通常是无心之过。但动机不良，或企图文过饰非，就不会获得宽恕。

无条件的爱

无私的爱可以给人安全感与自信心，鼓励个人肯定自我，追求成长，由于不附带任何条件，没有任何牵绊，被爱者得以用自己的方式，检验人生种种美好的境界。不过，无条件的付出并不代表软弱。我们依然有原则、有限度、有是非观念，只是无损于爱心。

有条件的爱，往往会引起被爱者的反抗心理，为证明自己的独立，不惜为反对而反对。其实这种行为更显现出不成熟的心理，表示你仍受制于人。前面说过，以敌人为生活重心，乃是生活在对方的阴影下。

我曾经有位朋友是一所名校的校长，他为了使儿子也能挤进这所学校，费了九牛二虎之力。没想到儿子居然拒绝，真令为父的伤心不已。

就读名校对儿子的前途大有助益，更何况那已成为家庭传统，朋友的家人连续三代都是该校校友。可想而知，这位父亲必定想尽力挽回儿子的心意。

可是孩子却反驳，他不愿为父亲读书。在父亲心目中，进入名校比儿子更重要，这种爱是有条件的。为了维护自主，他必须反抗这种安排。

幸好，朋友最后想通了。明知孩子可能违背他的意愿，仍与妻子约定无条件放手，不论儿子做何抉择，都支持到底。即使多年心血可能白费，却也割舍得下，的确相当伟大。他们向孩子说明，一切由他决定，父母决不干预，而且决非故作开明。

没想到，祛除了父母的压力，孩子反而切实反省；发现自己其实也希望好好求学，于是仍决定申请朋友主持的这所学校。听到这个消息，朋友自然十分欣喜，但这个时候倒不是因为儿子最后的决定与他不谋而合。而是身为父母，当然会为子女肯上进感到欣慰，这才是无条件的爱。

一对一的人际关系

前联合国秘书长哈马舍尔德 (Dag Hammarskjold) 曾说过一句发人深省的名言：

> 为一个人完全奉献自己，胜过为拯救全世界而拼命。

我认为此话的涵意是，一个人尽管在"外务"上多么了不起，却不见得能与妻子儿女或同事相处融洽。因为为群体服务，远不及建立私人关系需要更多人格修养。

最高领导阶层不和的现象在各机关都十分常见：合伙人明

争暗斗,董事长与总经理互相拆台……纵使事业做得再大,却解决不了切身问题。可见人际关系愈亲密,愈是维护不易。

想当年首次看到这段话时,我与最得力的助手之间,正为彼此心意不明而困扰。可是就是提不起勇气,与他讨论双方对角色、目标、价值,尤其是管理方式的分歧。我委曲求全,不敢触及核心问题,惟恐引起激烈冲突,但两人心结日深。

后来看到这句名言,鼓舞我设法改善与这位助手的关系。我竭力坚定意念,因为这是件极为艰难的事。还记得刚迈出办公室,要找他详谈时,紧张得全身发抖。他似乎是个强悍固执的人,我正需要借重这种才干与毅力,可是又怕激怒了他,因而失去一位好帮手。

在内心演练多次以后,我终于掌握住几个原则,顿时勇气大增。在我俩正式交谈之下,我发现他居然经历了同样的挣扎,也渴望与我恳谈,而且丝毫不踟蹰。

我们截然不同的管理风格,令全公司无所适从,但我们终于承认问题的存在。经过了数次沟通,把问题摊在桌面上讨论,并一一加以解决。事后我们反而成了知己,而且合作无间。

由此可见,一对一的关系是人生最基本的要素,有赖高尚的人格来维系,光是管理众人之事的技巧不足以为功。

问题的反面是契机

这次经验也让我学得另一个重要观念,亦即面对问题的态度。为了逃避问题,避免冲突,我蹉跎了不下数月。事实却证明,问题反而是促进和谐的契机。

因此,我认为在互赖关系中,问题就代表机会——增加感情账户存款的机会。

　　父母把子女的问题视作增进亲情的机会，就不会觉得烦躁厌恶。同理，企业界重视顾客的问题，就能赢得客户的忠诚，有一家连锁百货公司就是因此成功的。不论何时，只要顾客有意见，即使再微不足道，都被视为争取老主顾的良机。店员热忱地服务，务必令顾客满意为止，无怪乎这家连锁百货公司根本不担心顾客被别家抢走。

　　建立了感情账户的观念之后，让我们再进一步认识圆满人际关系所不可或缺的一些习惯，即成功地与他人合作的习惯。

第七章

习惯四:双赢思维
——人际领导的原则

利人利己者把生活看作一个合作的舞台,而不是一个角斗场。一般人看事情多用二分法:非强即弱、非胜即败。其实世界之大,人人都有足够的立足空间,他人之得不必就视为自己之失。

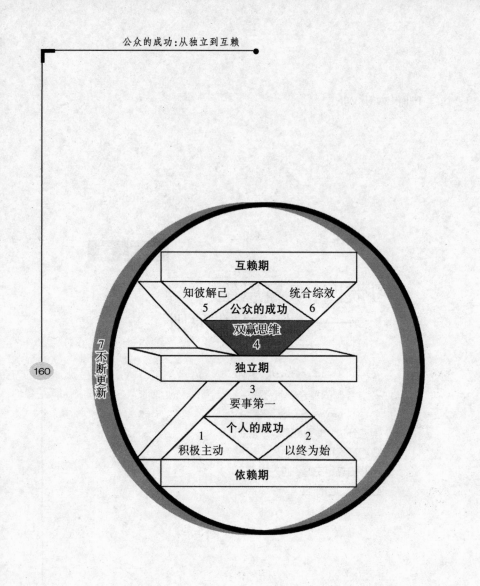

金科玉律已深植我们脑海，现在则是奉行不渝的时刻。

——马克姆（Edwin Markham），美国诗人

我曾经受聘担任一家公司的顾问，该公司总裁最感头疼的便是员工的本位主义。他对我说："我们的员工都太自私自利，彼此不肯合作，否则产量可以大大提高。能否请你设法改善员工关系，解决这个问题？"

我问："你认为问题出在人和，还是整个企业观念使然？"

"你自己去找答案吧！"

于是我深入了解这家公司的状况，果不其然，各部门各自为政，明争暗斗，谁也不服谁。显然他们的感情账户都出现赤字，人与人之间缺乏互信。我再请教总裁：

"追根究底，为什么你的员工拒绝合作？不合作的风气是否受到鼓励？"

总裁肯定地说："没有。相反地，我们订有奖励合作的办法。"

他指着办公室墙上一幅宝马图，每个跑道上的赛马代表一

161

位经理，跑道终点的奖品是招待旅游风光明媚的百慕大群岛。每星期他都会召集全体经理，一面训示合作的重要性，一面却以百慕大之旅作饵。换句话说，总裁口头上高唱互助合作，实际上鼓励彼此竞争，因为胜利者只有一名。

这家公司最大的问题其实是思维错误所致，许多企业与家庭也有同样的毛病，想要根除就必须提倡互利观念。

最后我说服这位总裁，加强资讯的流通并真正鼓励团队合作，不要突出个人或单位的业绩。

在互赖关系中，人人都是领导者，同样企求发挥更多的影响力，但最成功的领导应建立在利人利己的双赢思维 (think win – win) 的基础上。

人际关系的六种模式

人际关系的思维可归纳为六大类：

一、利人利己（赢/赢）二、损人利己（赢/输）三、损己利人（输/赢）四、两败俱伤（输/输）五、独善其身（赢）六、好聚好散（无交易）

利人利己（赢/赢）

为自己着想不忘他人的权益，谋求两全其美之策，这种关系自然令人满意，乐于合作。利人利己者把生活看作一个合作的舞台，而不是一个角斗场。不过一般人看事情多用二分法：非强即弱、非胜即败。这种思维方式的基础是力量和地位，而非原则。其实世界之大，人人都有足够的立足空间，他人之得不必就视为自己之失。

损人利己（赢/输）

前面提到，以百慕大之旅引发竞争动机，无疑将助长"你输我赢"的观念。秉持此种信念的人,难免会运用本身的权势、财力、背景或个性来压迫别人,达到目的。

大多数人从小就浸淫在"损人利己"的观念中。在家里,手足之间有高下之分,乖孩子会获得更多宠爱与特权。这岂不正是告诉儿童:爱是有条件的,要得到父母的爱,就得与兄弟姊妹竞争。

年龄稍长,同行团体更是以成败论英雄,而在朋友间的地位最受青少年重视。

学校教育也是以分数、名次定优劣,必须有成绩差的学生才能衬托出名列前茅者的光采。至于个人的潜能究竟发挥了多少,并不重要。教育以竞争为风尚,所谓合作往往只是假象。

运动比赛也强化竞争的观念,提醒观众与选手,人生同样是一场零和游戏,必须分出胜负,而且惟有击败别人才能成就自己。

法律则硬把人区别为敌对双方,打官司就为分出我是你非。所幸,目前司法界鼓励当事人庭外和解,这表示兼顾双方利益的观念已逐渐受到重视。

的确,人生不可能处处笼罩在竞争的气氛下。如果随时随地不忘与配偶、子女、同事、邻居……一决,生命将多么可怕。因此,惟有互助合作才能增进幸福。

损己利人(输／赢)

有些人生性消极,习于委曲求全,这比损人利己的想法更要不得。这种人无所求,无所欲,也没有原则,只急于讨好别人,容易受人左右。他们不敢表达自己的意见或感受,深恐得罪人,惟有借别人的接纳来肯定自我,这种习性正中损人利己者的下怀。

163

可是被压抑的情感并不会消失，累积到一定程度后，反而以更丑恶的方式爆发出来，有些精神疾病就是这样造成的。

若是一味压抑，不能把愤怒情绪加以升华，自我评价将日趋低落。到最后依然会危及人际关系，使原先委曲求全的苦心付诸流水，得不偿失。

一般人通常在"损人利己"和"损己利人"两个极端之间摇摆。低姿态摆久了，心有未甘，就换上咄咄逼人的态势。久而久之，又觉得有内疚感，便重拾与人为善之心。但总有一天忍无可忍，再度回复高姿态。

两败俱伤（输／输）

两个顽固、互不相让且过分自我中心的人在一起，注定会两败俱伤。我认识一对离异的夫妇，丈夫奉法官之命出售财产，把所得分一半给前妻。为了报复，他宁可把市价 1 万多美元的汽车，贱卖 50 美元，好让妻子只得 25 元。妻子向法院抗议才发现，丈夫把所有的财产都廉价出售。

为了报复，不惜牺牲自身的利益，却不问是否值得；这只有不够成熟、掌握不了人生方向的人，才会这样。

独善其身（赢）

又有一种人，利己但不一定损人，"个人自扫门前雪，休管他人瓦上霜"，重要的是要得到自己想要的东西。当不涉及竞争时，这种想法相当普遍。

若问以上五种观念，何者正确？答案是：视情况而定。

在运动场上自然要分出高下。推广业务时，两个不相关的责任区也不妨彼此竞争，以刺激业绩。但是需要群策群力的工作，就不能用"百慕大"式的策略了。

假使你十分珍惜与重视某一人际关系，而牵涉的问题又无足轻重,那么偶尔放低姿态表示重视对方,也无可厚非。或者为了更崇高的目标,不值得在细节上计较,那么退一步又何妨?

但在有些特殊情况下,你一心求胜,根本谈不上兼顾旁人的利益。比方亲人陷于生命危险,此时自顾不暇,遑论其他。

由此可见,人际关系也须因事制宜。不过一般而言,利人利己的原则还是最行得通的。

损人利己者固然一时取得优势,但另一方受害,对双方长期的关系有害无益。举例来说,供应商以胁迫方式迫使客户接受条件,下次客户还会光顾吗?

换个角度来看,倘若供应商不得不屈服于客户的要求之下,又岂会忍气吞声,恐怕难免要另找机会加以报复。不是"以其人之道,还治其人之身",就是在同行间宣扬客户的恶行。到头来不论是占上风或下风的一方,都得不到好处。

但不损人并不表示要损己。一个客户曾吃过亏,埋怨道:"利人利己的观念的确不错,可惜太理想化了。商场现实无情,不与人争,只有被淘汰。"

我反问:"你是说跟顾客也要争利,才切乎实际?"

他摇头。我再问:"你肯牺牲自己做赔本生意?"

"不可能。好吧! 就算与客户之间应该两蒙其利,但与上游供应商的关系决不是这样。"

"可是对上游供应商而言,你也是客户啊?"

"最近我们与房东洽谈新租约就吃了暗亏。我们抱着兼顾双方利益的心态,开诚布公,想与对方好好商谈,可是却被当成冤大头。"

细问之下,才发现他错在未站稳立场,没有和房东沟通得更彻底。除了多听取对方的意见,他也该理直气壮地表达自己的

165

立场,并坚持未达成彼此都满意的结果前,不轻易罢休。即使最后的结论迥异于双方原本的构想也无妨,因为异中求同,往往能得到令人意想不到的丰收。

好聚好散(无交易)

如果实在找不出双方都能接受的方案,倒不如好聚好散或取消交易(win/win or no deal),因为大家惟一的共识,就是彼此意见不同。所谓道不同不相与谋,既然观念歧异过大,与其事后失望、冲突,不如一开始就认清事实,婉拒某个职位或职员,取消合约或订单。

心中留有退路,顿觉轻松无比,更不必要手段、施压力,迫使对方就范。坦诚相见,更有助于发掘及解决问题。即使买卖不成,仁义在,或许日后还有合作的机会。

有家小型电脑公司的负责人就有过类似的体验。他接受了我建议的利人利己的观念,并且身体力行。他说:

本公司曾受聘为一家银行设计全套新软件,合约一签就是5年。没想到1个月后,总裁换人。新总裁对我们的产品有意见,员工也感到新软件难以适应,于是他们要求我们更改合约。

当时本公司的财务状况其实很不好,为了求生存,我大可坚持依约行事。可是这种做法损人却不一定利己,既然产品不能令顾客满意,我同意取消合约,退回定金。但也告诉对方,日后若还有软件方面的需要,欢迎再光顾。

就这样我放弃了一笔48000美元的生意,这简直是自断财路。可是我相信,坚持原则一定会有回报。

3个月后,那位新总裁果真又打电话给我,带来另一笔总价24万美元的生意。

两全其美,否则就别勉强,这对促进家庭和谐也十分有效。例如,与其为争看电视节目闹得不可开交,何不另选便宜都能参与的休闲活动,以免顺了姑心,逆了嫂意。

我有一位朋友,多年来,她们一家人经常在一起办演出。孩子们还很小的时候,她就自己谱曲,做演出服,给他们钢琴伴奏,指挥演出。

孩子们一天天长大,对音乐的欣赏情趣也开始改变。他们希望对节目和演出服装有较多的发言权。他们变得不太听话了。

这位朋友本人有多年的演出经验,觉得孩子们提出的很多主张都不合适。但她同时也认识到,他们的确需要表达自己。

于是,她提出了好聚好散或无交易的主张。她告诉他们,她希望达成一个大家都满意的结果,否则他们干脆另谋高就以施展才能。结果,在设法达成协议时,大家都能毫无顾忌地陈述各自的主张,因为无论能否达成一致意见,都不会有感情方面的瓜葛。

不过这种做法也会有其限制。在商场上,最好在关系建立之初就抱定好聚好散的态度。

一旦关系持续进展,有时就无法轻言一刀两断、各自为政,家人、好友合伙或朋友间的生意往来尤其如此。为了维持亲情或友谊,经常必须妥协,因为若严重影响企业本身与彼此的关系,到最后甚至连生意都会做不下去,而须交由专业人士来经营。根据前人的经验,家族企业或友好创业之初,最好事先考虑日后拆伙的可能,讲定股份转让的方式。这样友谊才能长存,企业也才能繁荣不衰。

167

利人利己五要领

利人利己可使双方互相学习、互相影响及共蒙其利。要达到互利的境界必须具备足够的勇气及与人为善的胸襟，尤其与损人利己者相处更得这样。培养这方面的修养，少不了过人的见地、积极主动的精神，并且以安全感、人生方向、智慧与力量作为基础。

想达到利人利己，须从自身的"品德"着手，建立起互利"关系"，进而获得两全其美的"协议"。协议则有赖合理的"制度"配合，经由正确的"流程"来完成。

图 7 – 1 即显示五要领的相互关系：

图 7 – 1　利人利己五要领

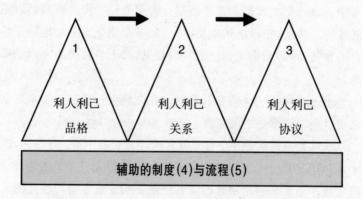

一、双赢品格

品格是利人利己观念的基础，以下三项品格特质尤其重要：

真诚正直：本书开宗明义即阐释，人若不能对自己诚实，就无法了解内心真正的需要，也无从得知如何才能利己。同理，对人没有诚信，就谈不上利人。因此，缺乏诚信作为基石，"利人利己"便成了骗人的口号。

成熟：也就是勇气与体谅之心兼备而不偏废。有勇气表达自己的感情与信念，又能体谅他人的感受与想法；有勇气追求利润，也顾及他人的利益；这才是成熟的表现。许多招考、晋升与训练员工使用的心理测验，目的都在测试个人的成熟程度。

只可惜常人多以为魄力与慈悲无法并存，体谅别人就一定是弱者。事实上，人格成熟者严于律己，宽以待人。在需要表现实力时，决不落于损人利己者之后，这是因为他不失悲天悯人、与人为善的胸襟。

徒有勇气却缺少体谅的人，即使有足够的力量坚持己见，却无视他人的存在，难免会借助自己的地位、权势、资历或关系网，为私利而害人。但过分为他人着想而缺乏勇气维护立场，以致牺牲了自己的目标与理想也不足为训。

勇气和体谅之心是双赢思维不可或缺的因素。两者间的平衡才是真正成熟的标志。有了这种平衡，我们就能设身处地为对方着想，同时又能勇敢地维护自己的立场。

富足心态：一般人都会担心有所匮乏，认为世界如同一块大饼，并非人人得而食之。假如别人多抢走一块，自己就会吃亏，人生仿佛一场零和游戏。难怪俗语说："共患难易，共富贵难。"见不得别人好，甚至对至亲好友的成就也会眼红，这都是"匮乏心态"（scarcity mentality）作祟。

抱持这种心态的人，甚至希望与自己有利害关系的人小灾小难不断，疲于应付，无法安心竞争。他们时时不忘与人比较，认定别人的成功等于自身的失败。纵使表面上虚情假意地赞许，内心却妒恨不已，惟独占有能够使他们肯定自己。他们又希望四周环境的都是惟命是从的人，不同的意见则被视为叛逆、异端。

相形之下，富足的心态（abundance mentality）源自厚实的个人价值观与安全感。由于相信世间有足够的资源，人人得以分享，所以不怕与人共名声、共财势。从而开启无限的可能性，充分发挥创造力，并提供宽广的选择空间。

公众的成功并非压倒别人，而是追求对各方都有利的结果。经由互相合作，互相交流，使独立难成的事得以实现。这便是富足心态的自然结果。

要想潜移默化扭转损人利己者的观念，最有效的方式莫过于让他们和利人利己者交往。此外，还可阅读发人深省的文学作品与伟人传记，或观看励志电影。当然，正本清源之道还是要向自己的生命深处探寻。

图 7－2　不同人际观的成熟度

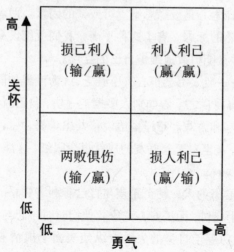

二、双赢人际关系

建立在利人利己观念上的人际关系，有厚实的感情账户为基础，彼此互信互赖。于是个人的聪明才智可投注于解决问题，而非浪费在猜忌设防上。这种人际关系不否认问题的存在或严重性，也不强求泯灭各方分歧，只强调以信任、合作的态度面对问题。

然而合理的关系若不可得，与你交手的人偏偏坚持双方不可能都是赢家，那该怎么办？这的确是一大挑战。在任何情况下，利人利己都不是易事，更何况和自私自利的人打交道，但是问题与分歧依然要解决。这时候，致胜的关键在于扩大个人影响圈：以礼相待，真诚尊敬与欣赏对方的人格、观点；投入更长的时间进行沟通，多听而且认真地听，并且勇于说出自己的意见。以实际行动与态度让对方相信，你由衷希望双方都是赢家。

这是人际关系的最大挑战，追求的已不止于完成谈判或交易，更要发挥感化的力量，使对手以及彼此的关系都能脱胎换骨。

纵然少数人实在不容易说服，我们还可选择妥协——有时为了维持难得的情谊，不妨有所变通。当然，好聚好散也是另一种选择。

我在英国住过5年，这段期间铁路局人员曾经两度不遵守书面协议，造成全国交通瘫痪。由此可见，即使白纸黑字，若没有诚信的品格与互赖的关系作后盾，任何协议都是空谈。

三、双赢协议

在互利关系中，对于彼此都能接受的结果，必须先有共识，这又称为"绩效协议"（performance agreement）或"合伙协议"（partnership agreement）。凭借这种协议，从属关系可转换为合伙关系，上对下的监督则转变为自我监督，双方才有可能共谋福利。

这类协议涵盖的范围相当广泛，前一章提到我与儿子协议整理院子，就是其中一例。我们协议中的五项要素也适用于任何互赖关系，例如雇主对员工、个人对个人、团体对团体、企业对供应商。这五项要素列举如下：

- 彼此预期的结果，包括目标与时限，但方法不计。
- 达成目标的原则、方针或行为限度。
- 可资利用的人力、物力、技术或组织资源。
- 评定成绩的标准与考评期限。
- 针对考评结果定赏罚。

明确目标与评估标准树立后，双方才能有所遵循。传统权威式管理是基于"彼之得即我之失"的信念，透支了感情账户的存款。一旦双方失去，对彼此期望的目标缺乏共识，无怪乎上司会采取猜忌的管理方式。

至于信任式的管理，基本原则在于放手让别人去做。既然有协议为约束，管理者只须扮演协助与考核的角色即可。

由自己评量得失，更能激发自尊。何况在高度互信的环境中，这种方式获得的测量成果准确度甚高。因为当事人对自己的工作成效最清楚不过，间接观察或测量，总难免失真。

劳资互利的训练计划

我曾参与一家大银行的新进人员训练计划。为了这个计划，当年度预算共编列了 75 万美元，主要目的是甄选大学应届毕业生到相关部门实习半年，每部门各实习 2 周，然后派至分行担任管理助理。我们的主要任务是评估这个计划的成效。

当时我们最感困扰的就是无法确知这个计划的预期目标，

因而无从评估。虽然询问银行方面的高级人员，也得不到具体答复。

于是我们建议先拟定目标,我们花费一番工夫,逐一询问部门主管对新进人员的期望，比方在会计实务上应有多深入的认识。经过删减归类,最后共汇总出 39 个行为目标与考核标准,必须在为期半年的训练计划内完成。

受训人员深受这难得的机会与加薪奖励所鼓舞，由于标准确切,他们在 3 周半就达成了。但却招来若干阻力,事实上这是所有新观念都无法避免的。首先,大部分高级主管认为 3 周半时间太短, 受训人员累积的经验不足。可是学员们的确达到了银行所定的标准。事后我才了解,这些高级主管真正不满的是,他们当初都曾熬上一年半载,这批后生小子片怎么可以这么轻易就晋身主管阶层?

其次,人事部门也表示不满,因为原先的经费是为长达 6 个月的计划而准备。我们只好再增加 8 项目标,提高及格标准,保证实习完毕,新进人员个个都能胜任愉快。

我们原先担心受训新人会反弹,因为标准有所更改。然而出人意料的是,他们毫无怨言,反而主动向各部门主管讨教,彼此密切合作,脑力相互激荡。

1 周半之后, 新的目标也达成了。原本为期半年的计划,5 周内即已完成,而且成效卓著。有些主管不得不承认,这 5 周所达到的标准决不亚于训练半年的成果。

劳资互利的训练计划重结果而非方法,因而能使个人释放出极大的潜力,造成更大的合力。

撰写绩效协议书

管理哲学大师兼顾问杜拉克 (Peter Drucker), 提倡以"致经

173

理函"(manager's letter)记录绩效协议的要点。他主张,劳资双方应彻底讨论彼此的期望、准则与可用资源;并配合公司整体目标,由员工写信给经理,扼要说明协议结论与下次会议的日期。

订立这类协议书是管理工作的重心,有了它,员工可以自我管理。而经理则仿佛赛跑时的开道车,在清出跑道,使比赛顺利展开后,就改做后勤工作,退在配角。

一旦主管成为属下的得力助手,他所能控制的范围将大为增加,层层节制的管理制度反而无用武之地。这时一位经理所能督导的不只是 10 人、8 人,而是 20 人、30 人,甚至更多的高效率员工。

赏罚分明也很重要,不可全凭主管个人好恶。赏罚方式一般可分金钱、精神、机会、责任四层面。加薪、减薪是金钱奖惩;精神鼓励指嘉勉、表扬、尊崇,反之则是失去尊敬、信赖。除非温饱都成问题,否则精神奖励的价值往往超过物质奖励。机会奖励包括进修等福利,责任则是对表现良好者赋予重任。

此外,绩效协议中应言明个人表现对公司的影响,例如迟到早退、本位主义、压抑部属等等,都会造成全公司的损失。

我女儿年满 16 岁的时候,我们就家里汽车的使用问题订了一个绩效协议。汽车,包括汽油和保险,当然是由我提供,但她若要用车就得履行这些责任:必须守法,必须保养汽车,不能开车去干不负责任的事情,必要时要为她母亲和我开车。每周我们碰一次头——通常是星期天下午——谈谈她执行协议的情况。

协议从一开始就对我们双方提出了明确的期望。她可以使用汽车,解决交通需要,我们也不必担心汽车的保养或清洁,不必想方设法去监督她。绩效协议使我们双方都得到了解放。

绩效协议能带来极大的解放。不过，作为一种方法若没有真诚和互信维系，也是不能持久的。

一个真正的绩效协议应是方法、品德和互信关系的产物。而订定协议的目的也正在于此。

四、双赢制度

双赢的管理原则必须有合理的制度加以配合，否则理想与实际相抵触，要达到预期成果，无异于缘木求鱼。举例来说，个人或企业使命宣言列举的目标与价值，应有恰当的奖惩制度作为后盾。

有一年，我参加一家房地产集团的年度表扬大会。现场气氛热闹异常，公司还聘请高中乐队来助阵。当时有40人分别接受"业绩最高"、"佣金最多"等等奖项，可谓风光一时。但其余700多名与会的业务人员，内心感受如人饮水，冷暖自知。

我的顾问小组正好受聘于该公司，眼见这种做法产生不良副作用，我们立刻着手教育员工及整顿公司组织，树立利人利己的观念。全体员工不分阶级，共同拟定激励士气的奖惩制度，并自订个别的绩效目标，以鼓励互助合作，人尽其才。

第二年，成效卓著。在表扬大会上，与会的1000余人中有800人受奖，多半是由于达成自订的目标或团体达成部门目标而受奖，并不一定是因为把别人比了下去。会场上虽没有乐队、啦啦队助阵，但气氛依然热烈。更重要的是，绝大多数受奖人的平均业绩与为公司赚得的利润都是去年的40倍。

竞争在商场上尤其必要，各年度的业绩也应互作比较，甚至不相关的个人或机构间，都可以相互竞争。但众志成城对企业生存而言，重要性决不亚于竞争。为激励士气，包括训练、企划、预算、资讯、沟通及薪酬等所有制度，都应鼓励合作。

有一家连锁店的老板，为了售货员过于消极、对顾客不闻不问而深感苦恼，于是请我设计课程来改善员工服务态度。经实地调查，我发现该公司员工的确有这种弊病，可是原因何在呢？

这位老板说："我要求主管以身作则，把 2/3 的时间用于促销，其余 1/3 用于管理，结果他们的业绩确实不输给手下的售货员。"

原来真正的症结在此，这位老板心知肚明，只是不肯承认。我费了不少唇舌，终于使他了解，经理不应与店员争利，薪酬制度也应调整。经理的奖金须以售货员的业绩为准，而不是自相残杀。

又有一位经理向我抱怨，他手下有名主管业绩甚佳，考绩势必得到甲等，可是这位经理却心有未甘。

"为什么非给他甲等？"我问。

"他有实际的业绩数字撑腰。"

"你为什么觉得他不够格？"

"他的做法令人无法苟同。他完全不顾别人，只知打击对手，壮大自己，制造了不少纠纷。"

"你不妨与他约法三章：业绩只占考绩标准的 2/3，其余 1/3 由其他同事的看法来决定。"

"对，我相信这会使他不敢再目中无人。"

许多情况下，问题是导源于错误的制度，而不是人。恶劣的制度甚至会使好人也受到感染。

在企业中，主管可以改变制度，使属下成为向心力强、生产力高的团队，足以与其他企业竞争。在学校里，老师可根据每个学生的努力与表现来评分，并鼓励学生相互提携。在家庭中，父母不要鼓励子女互比高下，应当培养全家人一条心。比方玩保龄球,可以记全家的总分,并争取打破以前的记录;还可以用绩效协议来规定各人的责任,以便家长孩子各负其责。

一位朋友跟我说起他看过的一部动画片,里面有个孩子说:"妈妈若再不来叫我们起床,我们上学就要迟到了。"这话使他强烈意识到,没有按双赢原则组织起来的家庭会有哪些问题。

绩效协议赋予个人明确的责任,使个人对其行为负责,并且要估计其结果。而双赢制度则为支持和加强绩效协议提供了有利的环境。

五、双赢流程

达成利人利己的流程也是一个重要环节。哈佛大学法学教授费希尔(Roger Fisher)与尤里(William Ury),在《谈判要诀》(*Getting to Yes*)一书中曾谈及,以原则为重心比坚持立场更能致胜。他们虽然未用"双赢"的字眼,但倡导的精神与本书不谋而合。

他们主张,以原则为重心的谈判对事不对人,着重双方的利益而非立场。目标虽在寻求彼此互利的解决途径,但不违背双方认同的一些原则或标准。

根据我个人的经验,不妨以下列四步骤进行谈判:

● 从对方的观点看问题,诚心诚意地了解他人的需要与顾虑,甚至比对方了解得更透彻。

● 认清关键问题与彼此的顾虑(而非立场)。

● 寻求彼此都能接受的结果。

● 商讨达成上述结果的各种可能途径。

后面习惯五和习惯六即讨论如何了解别人与表达自己。

在此,我还要特别指出双赢流程与双赢结果之间密切关联的性质。要取得双赢结果只能靠双赢流程——目的与手段应是一致的。

双赢不是一种个人技巧，而完全是一种人际交往的模式。它来自真诚的品德、成熟和富足心态。它是高度互信的结果，体现在能有效阐明期望并实现结果的协议之中。它在支持性的制度里才有活力，并经由有关流程才能实现。在习惯五和习惯六中，我们将会更全面地研究这些流程。

◘立即行动

一、预想可能参与的谈判或协商，立下决心在勇气与关怀之间保持平衡。

二、列举双赢思维的障碍，对于在个人影响圈内的部分，设法清除。

三、选择一项有意改善的人际关系，设身处地为对方着想，写下你认为对方能接受的方法，再写下自己认可的办法。然后请教对方是否愿意沟通，共同研讨两全其美的对策。

四、对个人而言，最重要的三种人际关系是什么？说明这三者的感情账户是结余还是透支，再记下有助于增加结余的方式。

五、彻底检讨自己的观念，"非赢即输"的思想是否已经牢不可破？为什么会这样？对目前的人际关系有什么影响？对个人是否有任何助益？

六、对身处艰困仍不忘利人利己的人，多加亲近并加以效法。

第八章

习惯五：知彼解己
——将心比心交流的原则

若要用一句话归纳我在人际关系方面学到的一个最重要的原则，那就是：知彼解己——首先寻求去了解对方，然后再争取让对方了解自己。这一原则是进行有效人际交流的关键。

179

心灵世界自有其理，非理智所能企及。

——帕斯卡(Pascal)，法国哲学家、数学家及物理学家

假定有一位荒唐的眼科医生为病人配眼镜，居然脱下自己的请病人试戴，理由是："我已经戴了 10 年，效果很好，就给你吧！反正我家里还有一副。"

谁都知道这是行不通的，可是医生却说："我戴得很好，你再试试，别心慌。"

"可是我看到的东西都扭曲了。"

"只要有信心，你一定看得到的。"

经病人一再抗议，医生居然恼羞成怒。

"算我倒霉，好心没好报。"

这位眼科医生尚未诊断就先开处方，谁敢领教？但与人沟通时，我们却常犯这种不分青红皂白妄下断语的毛病。因此我必须强调，了解别人与表达自我是人际沟通不可或缺的要素。

"说吧，宝贝，告诉我你感觉怎样。我知道这不容易，但我会尽力去理解。"

"哦,我不知道,妈妈。你也许会认为这很愚蠢。"

"当然不会! 你可以告诉我的。宝贝,没有谁像我这样般关心你。我只想使你幸福。什么事使你这么不开心?"

"好吧! 跟你说实话,我就是不再喜欢上学了。"

"什么?"你惊讶地问。"这话什么意思? 我们为了你的教育做了那么大的牺牲,你竟然说这个话。受教育是为你的前途打基础。要是你像你姐那么用功,肯定比她学得好,那样你就会喜欢上学了。我们一再要你安下心来学习。你有这个能力,但就是不肯用功。好好努力吧! 要有积极的态度。"

沉默。

"现在你说吧。告诉我你觉得怎样。"

我们有这样一种喜欢匆匆忙忙以好的建议来解决问题的倾向。但我们往往不能首先花一些时间进行诊断,去深入了解问题的症结所在。

181

若要用一句话归纳我在人际关系方面学到的一个最重要的原则,那就是:知彼解己——首先寻求去了解对方,然后再争取让对方了解自己。这一原则是进行有效人际交流的关键。

你真的听懂了吗?

现在你正在读我写的书,读和写是沟通的方式,听与说也是。这些都是最基本的沟通方式,也是最基本的生活技能。从小到大,我们接受的教育多偏向读写的训练,说也占其中一部分,可是从来没有人教导我们如何去听。然而听懂别人说话,尤其是从对方的立场去聆听,实在不是件容易事。

想要有效交流与发挥影响力,第一步就得了解对方,取得信赖。这不能依靠权术，必须靠诚于中形于外的品德，也就是良善的本性，来感动别人。虚伪造作不要多久就会被揭穿。喜怒无常、表里不一、朝三暮四，也难以赢得尊敬与信赖，或是水乳交融的沟通。

尽管你用心良苦，想给旁人忠告或帮助，如果未能搔着痒处，又给人压迫感，便会引起抗拒，结果也是徒劳无功。反之，若能培养将心比心倾听(epathic listening)的技巧，以品德赢得信赖，以充实的感情账户为本，有效的人际沟通便在掌握之中。

将心比心倾听

人人都希望被了解，也急于表达自己，却疏于倾听。一般人聆听的目的是为了做出最贴切的反应，根本不是想了解对方。因为我们常以为天下人都跟自己一样，以己之心即可度人之腹。

"噢，我完全了解你的感受，我也有过类似的经历，是这样的……"这类反应经常出现在日常交谈中。人们总是依自身的经验来了解别人的作为，把自己的眼镜强加在别人身上，却又怪罪他人"不了解我"。

有位父亲曾抱怨："真搞不懂我那宝贝儿子，他从来不肯听我说话。"

我问："你是说，因为孩子不肯听你说话，所以你不了解他？"

"对啊！"

我再次强调，他依然不觉得自己有什么不对。我只好明说："难道要了解一个人，不是你'听'他'说'，而是他听你说？"

他愣了一下，好一会儿才恍然大悟："噢，没错！可是，我是过来人，很了解他的状况。惟一叫人想不透的，就是他为什么不听老爸的话?"

这位父亲确实完全不明白儿子的心事，他只用自己的观点去揣度儿子的世界，无怪乎打不进儿子的心。事实上大部分人都是这么自以为是。

"聆听"也有层次之分。层次最低的是"听而不闻"，如同耳边风。其次是"虚应故事"，"嗯……是的……对对对……"略有反应，其实心不在焉。第三是"选择性的听"，只听合自己口味的。第四是"专注的听"，每句话或许都进入大脑，但是否听出了真意，值得怀疑。层次最高的则是："将心比心倾听"，一般人很少办得到。

某些沟通技巧强调"主动式"或"回应式"的聆听——以复述对方的话表示确实听到，将心比心倾听却有所不同。前者仍脱离不了为反应、控制、操纵而聆听，有时甚至对说话者是一种侮辱。

至于将心比心倾听，出发点是为了理解而非为了回应，也就是透过言谈明了一个人的观念、感受与内在世界。将心比心和同情有些差别，同情掺杂了价值判断与认同。有时人际关系的确需要多一份同情，但却易养成对方的依赖心。将心比心也不代表赞同，而是指深入了解对方的感情与理智世界。

将心比心倾听不只是理解个别的词句而已。据专家估计，人际沟通仅有1/10通过语言来进行，3成取决于语调与声音，其余6成则得靠肢体语言。所以在将心比心倾听的过程中，不仅要耳到，还要眼到、心到;用眼睛去观察，用心灵去体会。

如此倾听效果宏大，它能为你的行动提供最准确的资讯。你不必以己度人，也不必费心猜测，你所要了解的是对方的心灵

183

世界。倾听是为了理解,是心和心的深刻交流。

将心比心倾听还有助于感情存款的增加。因为,毕竟单方面的努力不足以增进感情,除非对方真的心领神会,感情才会滋长。若被误会为别有用心,反而会降低感情账户内的余额。

心理空气

将心比心倾听有极强的治愈作用,可为别人提供"心理空气"。没有空气,人类无法生存,所以不得不设法满足需求。这是最根本的一种人性——需求满足了就不会再生出追寻动机。但在物质生活无虞后,人类又会生出另一种渴望,就是精神上的满足——被了解、被肯定、被赏识……

当你能将心比心倾听他人说话,可以提供对方心理空气,满足对方精神上的需要,这时你才能集中心力解决问题或发挥影响力。事实上,这种对心理空气的需求影响着生活中每一个方面的交流。有一次我在芝加哥主持讲习,正好教到这个概念,我要求每位学员当晚实际应用一番。第二天,其中一份心得报告这样写道:

昨晚有一大笔不动产买卖已到最后谈判关头,这次芝加哥之行,一方面也想就此成交。于是我和业主、律师以及另一位房地产经纪人共聚一堂,但起初情势似乎对我不利。

我已投下半年光阴,成败在此一举,因此心中慌乱已极,简直六神无主。我用尽一切推销技巧,想尽办法拖延,惟恐最后被判死刑。对方却觉得此事拖延已久,不如当机立断。

迫不得已,我姑且应用白天学到的原则,首先寻求理解,然后再寻求被理解。反正这已是最后一搏。

我尽量试着去了解对方，设想业主可能的需要与考虑，然后明白地告诉对方，由他判断我究竟了解多少。如此你来我往，我愈说中他的心事，他吐露得愈多。

　　最后，话才讲到一半，他突然站起身，拨了个电话给妻子。就这样我赢得了合约。

　　当时我瞠目结舌，直到现在还不确定究竟发生了什么事。

　　这位学员给了那个人心理空气，结果在感情账户上存进了一笔巨款。

　　首先寻求理解，开处方前先诊断，这做起来并不容易。比较而言，递给别人一副多年来一直适合你的眼镜要容易得多。

　　不过从长远来看，它会严重伤害产出和产能平衡。对他人的基本情况没有准确的了解，就不可能有人际交往中的产出和产能平衡。若与你相处的人没有真正感到被理解，就不可能为你的感情账户存入巨款。

185

　　不过，将心比心倾听也有风险，要有很大的把握才能作这种由衷的倾听。毕竟，敞开自我不设防易受伤害、易受影响，这是无可奈何的两难。要想影响别人，就得受人影响。这也意味着，必须真正理解对方。正因如此，前面几章个人修养的功夫就愈显得重要，修养到家才能把持住自己，从而享有内心的平静与抵御外在的力量。

开处方前先诊断

　　先诊断再开处方，是所有专业人员的工作信条，医生如此，业务人员又何尝不是如此？医生不先查出病因，如何对症下药？业务人员不先了解客户的状况、需要与考虑，如何说服客户购买产品？

我们的女儿詹妮出生两个月的时候，在一个星期六得了病，那天我们社区正好有一场重要的足球赛——观众约有 6 万人。我和桑德拉都很想去，可又不能把小詹妮留在家里。她上吐下泻的，真让我们担心。

医生也在看球赛。他不是我们的私人医生，不过也可以随叫随到。

桑德拉给体育场拨了个电话，通过广播找到了他。那时正是比赛的关键时刻，但桑德拉从他的语气中可以感觉到一种热情。

桑德拉说了詹妮的症状，医生爽快地答应马上给詹妮开个处方。

挂电话后，桑德拉又觉得她在慌乱中其实并没有把情况完全讲清楚，也许医生甚至不知道詹妮还是个新生儿呢。

于是，我又打了个电话，医生再一次被叫出了赛场。他果然不知道詹妮只有两个月，于是赶紧改了处方。

所以说，假如你不相信诊断，就不会相信处方。

销售方面也是这样。平庸的业务员推销产品，杰出的业务员销售解决问题、满足需求之道。万一产品不符合客户需要，也要勇于承认。

律师在办案前一定聚集所有的资料，研判案情，再上法庭。称职的律师甚至事先模拟对方律师可能采取的策略。产品设计前，必经市场调查；工程师设计桥梁，一定预估桥身所须承受的压力；老师在教学前，应了解学生掌握知识的程度。

总之，正确的判断必须以了解为基础，妄下断语只会掩盖真相。

推己及人的四种反应

我们在听别人讲话时总是会联系我们自己的经历,因此自以为是的人往往会有四种"自传式回应"(autobiographical response)的倾向:

一、价值判断——对旁人的意见只有接受或不接受。

二、追根究底——依自己的价值观探查别人的隐私。

三、好为人师——以自己的经验提供忠告。

四、想当然——根据自己的行为与动机衡量别人的行为与动机。

价值判断令人不能畅所欲言,追根究底则令人无法开诚布公,这些都是经常造成亲子关系的一大障碍。

青少年与朋友讲电话可以扯上一两小时,跟父母却无话可说,或者把家当成吃饭睡觉的旅馆,为什么呢? 如果父母只知训斥与批评,孩子怎么肯向父母吐真言?

在无数研讨会中,我曾与成千上万的人讨论这个问题,我发现人们常自以为是,却习焉而不察。无怪乎每次角色扮演时,许多人都意外地发现,自己居然也有这种通病。好在只要病情确定,治疗并不难。

请看以下一对父子的谈话,先从父亲的角度来看:

"上学真是无聊透了!"

"怎么回事?"(追根究底)

"学的都是些不实用的东西。"

"现在的确看不出好处来,我当年也有同样的想法,可是现在觉得那些知识还挺有用的,你就忍耐一下吧!"(好为人师)

"我已经耗了 10 年了,难道那些 X + Y 能让我学会修车吗?"

"修车?别开玩笑了。"(价值判断)

"我不是开玩笑,我的同学王明辍学修车,现在月收入不少,这才有用啊!"

"现在或许如此,以后他后悔就来不及了。你不会喜欢修车的。好好念书,将来不怕找不到更好的工作。"(好为人师)

"我不知道,可是王明现在很成功。"

"你已尽了全力吗?这所高中是名校,应该差不到哪儿去。"(好为人师、价值判断)

"可是同学们都有同感。"

"你知不知道,把你养到这么大,你妈和我牺牲了多少?已经读到高二了,不许你半途而废。"(价值判断)

"我知道你们牺牲很大,可是不值得。"

"你应该多读书,少看电视——"(好为人师、价值判断)

"爸,唉——算了,多说也没什么用。"

这位父亲可谓用心良苦,但并未真正了解孩子的问题。让我们再听听孩子可能想表达的心声。

"上学真是无聊透了!"(我想引起注意,与人谈谈心事。)

"怎么回事?"(父亲有兴趣听,这是好现象。)

"学的都是些不实用的东西。"(我在学校有了问题,心里好烦。)

"现在看不出好处来,我当年也有同样的想法。"(哇! 又提当年勇了。我可不想翻这些陈年旧账,谁在乎他当年求学有多艰苦,我只关心我自己的问题。)"可是现在觉得那些知识还挺有用的,你就忍耐一下吧!"(时间解决不了我的问题,但愿我说得出口,把问题摊开来谈。)

"我已经耗了 10 年了，难道那些 X + Y 能让我学会修车吗？"

"修车？别开玩笑了。"（他不喜欢我当修车工，不赞成休学，我必须提出理论根据。）

"我不是开玩笑，我的同学王明辍学学修车，现在月收入不少，这才有用啊！"

"现在或许如此，以后他后悔就来不及了。"（糟糕，又要开始说教。）"你不会喜欢修车的。"（爸，你怎么知道我的想法？）"好好念书，将来不怕找不到更好的工作。"

"我不知道，可是王明现在很成功。"（他没有念完高中，可是混得很不错。）

"你尽全力了吗？"（又开始顾左右而言他，但愿爸能听我说，爸，我有要事跟你说。）"这所高中是名校，应该差不到哪儿去。"（唉，又转个话锋，我想谈我的问题。）

"可是同学们都有同感。"（我是有根据的，不是信口雌黄。）

"你知不知道，把你养到这么大，你妈和我牺牲了多少？"（又是老一套，想让我感到惭愧。学校很棒，爸妈也很了不起，就只有我是个笨蛋。）"已经读到高二了，不许你半途而废。"

"我知道你们牺牲很大，可是不值得。"（你们根本不了解我。）

"你应该多读书，少看电视——"（问题不在这里。爸，你根本不明白，讲也讲不通，根本不该跟你谈的。）

"爸，唉——算了，多说也没什么用。"

有效的沟通

这个例子充分显示有效的沟通多么不易，了解他人又是多

189

么重要。正确的沟通方式也就是将心比心倾听，至少包括四个阶段。

第一阶段是复述语句，这至少能使人专心聆听：

"上学真是无聊透了！"

"你已受不了了，觉得上学太无聊。"

第二阶段加入解释，纯用自己的词句表达，但仍用左脑的逻辑思考去理解："你不想上学了。"

第三阶段渗入个人的感觉，右脑发挥作用。此时听者所注意的已不止于言语，也开始体会对方的心情："你觉得很有挫折感。"

第四阶段是既加以解释，又带有感情，左右脑并用：

"你对上学有很深的挫折感。"

运用第四阶段的方式沟通，不仅能了解对方，更能帮助对方认清自己，勇于表白。再以前面的例子说明：

"上学真是无聊透了！"（我想引起注意，与人谈谈心事。）

"你对上学有很深的挫折感。"（对，这正是我的感觉。）

"没错，学校的东西根本不实用。"

"你觉得读书对你没什么用。"（想想看，我是那么说的吗？）

"对，学校的不一定对我有用。你看王明，他现在修车技术一流，这才实用。"

"你觉得他的选择正确。"（嗯……）

"嗯，从某个角度看确实如此。现在他收入不错，可是几年后，或许会后悔。"

"你认为将来他会觉得当年做错了决定。"

"一定会的，现在的社会里，教育程度不高会吃亏的。"

"教育很重要。"

"对,如果高中都没毕业,一定找不到工作,也上不了大学。有件事——我真的很担心,你不会告诉妈吧?"

　　"你不想让你妈知道?"

　　"不是啦! 跟她说也无妨, 反正她迟早会知道的。今天学校举行阅读能力测验,结果我只有小学程度,可是我已经高二了!"

　　儿子终于吐露真言,原来他担心阅读程度不如人。此时才是父亲发挥影响力,提供意见的时刻。不过在开导过程中,依然要注意孩子言谈间所传达的信息。若是合理的反应不妨顺其自然,但情绪性反应出现时,必须仔细聆听。

　　"我有个构想,也许你可以上补习班加强阅读能力。"

　　"我已经打听过了,可是每星期要耗掉好几个晚上!"

　　父亲意识到这是情绪性反应,又恢复将心比心倾听。

　　"补习的代价太高了。"

　　"而且我答应同学,晚上另有节目。"

　　"你不想食言。"

　　"不过补习如果真的有效,我可以想办法跟同学改时间。"

　　"你其实很想多下点功夫,又担心补习没用。"

　　"你觉得会有效吗?"

　　孩子又恢复了理性,父亲则再次扮演导师的角色。

适时扮演知音

　　有时候, 不待旁人开导, 只要能畅所欲言, 已足以令人理清问题, 甚至找到答案。

　　心情不好的时候,最需要善解人意的好听众,如果你能适时扮演这种角色,将会惊讶对方毫无保留的程度。但前提是,你必须真心诚意为对方着想,不存私心。有时甚至不必形诸言语,仅

191

仅一分心意就足以感动对方。

对于关系亲密的人，和他分享经验将大大有助于沟通："读了这本书才发现，其实我从未真正聆听你说话，但今后愿尽力而为，纵使一时间不能做得很好，但我确实真心想了解你，也希望你助我一臂之力。"

我相信有人会批评，这种倾听方式太耗费时间。起初的确如此，可是一旦进入状况就会如鱼得水。正如医生不能托辞太忙就不经诊断而下处方，沟通也需要投资时间。

记得有一次在夏威夷海边写稿，突然刮来一阵强风，把稿纸吹得四下乱飞，使我方寸大乱。早知如此，只要挪出 10 秒钟把窗子关好，就不致如此狼狈，真是欲速则不达。

人人都渴望知音，所以这方面的投资绝对值得，它能使你掌握真正的症结，大大增加感情存折的数字。

倾听使人茅塞顿开，原来人与人之间的差距如此悬殊，而观念差异又支配着人际关系。同一幅画像，甲看是一位少妇，乙看却是老妪。有人惟利是图，有人爱情至上，有人理智，有人重情……不论个别差异多大，人人都以为自己代表了一切。

我们就是在充满差异的环境中共同生活与工作，应该如何捐弃成见，为彼此的利益而合作呢？秘诀就在本章强调的修养：知彼解己。

有一位主管深谙此道，他的属下告诉我：

我们公司规模不大，有一次跟一家全国性金融机构洽谈事约。对方来势汹汹，组织了一个八人代表团。我们公司也打定主意，若无法达到双方互利的协议，即使生意再大也宁可放弃。我们总经理首先开诚布公地说："请根据你们的意愿拟订草约，好让我们明白你们的需要与想法，然后我们再提出意见，最后商谈价钱。"

这出乎对方的意料，他们相当感动。3天后草约果然拟好，总经理也逐一与对方交换意见，直到彼此都确定对方了解自己的立场。原本剑拔弩张的局面，化为一团和气，对方谈判人员很爽快地说："这笔生意就这么敲定，尽管开价，然后签约。"

表达也要讲技巧

表达自己也是谋求双赢之道所不可缺少的，了解别人固然重要，但我们也有义务让自己被人了解，这通常需要相当的勇气。

古希腊人认为，人生以品格（ethos）第一，情感（pathos）居次，理性（logos）第三。表达自己也应该循这三阶段进行。有些人在表达意见时直接诉诸左脑主管的理性，却不见得具有说服力。

有位朋友曾对我抱怨，他向主管进言，提醒主管检讨管理方式，可是对方并不接受。

他问我："那位仁兄对自己的缺点心知肚明，为什么却死不认错？"

"你觉得你的话具有说服力吗？"

"我尽力而为。"

"果真这样吗？天下哪有这种道理，推销不成反而要顾客自我检讨？推销员应该想办法改进销售技术。你有没有设身处地为他着想？有没有多做点准备，设法表达得更令人信服？你愿意花这么大的工夫吗？"

他反问："我凭什么要这样？"

193

　　"你希望他大幅改变,自己却舍不得花费心力?"

　　他觉得投资太大,不值得付出。

　　另一位朋友在大学担任教授,愿意付出代价,也尝到了成功的果实。他先向我求救:

　　"我手边的计划不符合系里研究方向的主流,申请经费极为困难,怎么办?"

　　"如果是我,我会想一套有力的说词。先从评审教授偏好的研究方向入手,而且要比他们了解得还透彻,证明我很明了他们的立场,然后再说明要求辅助的理由。"

　　他接受了建议,并且和我演练了一番。

　　在系务会议上,他开宗明义说:"本人首先就本系发展重点以及各位对本计划的顾虑提出说明,再谈个人的意见。"

　　事后证明他的确正中评审教授的下怀,由于他表现出体谅与尊重,会议尚未结束,研究计划就过关了。

　　表达自己并非自吹自擂,而是根据对他人的了解来诉说自己的意见,有时候甚至会改变初衷。因为在了解别人的过程中,你也产生新的见解。

　　习惯五的重点位于个人影响圈的正中央。人际关系中有不少部分属于关注圈,像无法解决的问题、分歧、客观环境、他人行为等等,都是我们无能为力的。与其在那些事上着力,倒不如反求诸己,由内而外,更为有效。能够倾听,就能够接受影响;能够接受影响,就能影响人,于是乎影响圈会日渐扩大。

　　何不从现在起立刻付诸行动,不论在办公室或家中,敞开胸怀,凝神倾听。不要急功近利,即使短期内未获回馈也决不气馁。以我为例,每天一定与妻子桑德拉交谈,了解彼此的感受。我们还模拟家中可能发生的摩擦,通过设身处地的倾听技巧,预设有效的处理方式。通常我扮演儿子或女儿，桑德拉则扮演母亲。对于处理不当的事件，我们也同样加以检讨。

此外，在办公室也应该经常与员工个别交谈，多听多了解他们的心声。并且设立员工与股东表达意见的渠道，接收来自顾客、员工、供应商等各方面的真切回馈，重视人更甚于重视财务与技术。

当我们真正深刻地相互了解时，差异将不再是交流和发展的阻碍。相反，它们成了通往合作的阶石。

◉立即行动

一、探寻感情账户已出现赤字的人际关系，从对方的观点检讨彼此的关系并加以记录。下次见面时，倾听对方的心声，对照先前的记录，看看你的推断是否正确，是否确实了解对方。

二、与亲朋好友分享设身处地的观念，请对方与你配合练习1周，观察对方的反应并检讨自己的实践心得。

三、下次当你看到别人交谈时，捂住双耳 5 分钟，只用眼睛观察。看看言语之外，肢体传达了哪些信息。

四、一旦自己犯了追根究底、价值判断、好为人师或想当然等毛病时，应主动认错道歉。

五、学习了解他人，甚至比对方了解他自己还透彻。再基于对他人的体认来表达自己，发挥说服力。

195

第 九 章

习惯六：统合综效
——创造性合作的原则

统合综效的基本心态是：如果一位具有相当聪明才智的人跟我意见不同，那么对方的主张必定有我尚未体会的奥妙，值得加以了解。

与人合作最重要的是，重视不同个体的不同心理、情绪与智能，以及个人眼中所见到的不同世界。假如两人意见相同，其中一人必属多余。与所见略同的人沟通，毫无益处，要有分歧才有收获。

197

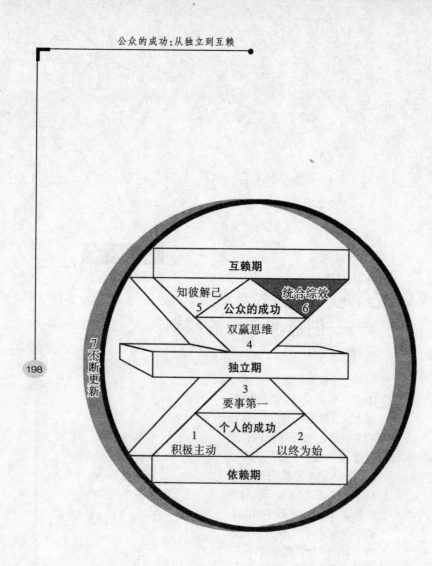

我以圣徒之所望自勉:

对关键性事务——整合。

对重大的事务——求变。

对所有的事务——宽大。

——美国总统布什(George Bush)就职演说

199

英国前首相邱吉尔(Sir Winston Churchill)受命领导全英抵抗轴心国侵略时曾说,他这一生都在为这一刻做准备。本书以上的各项习惯也仿佛都在为这一章做准备。

统合综效(synergy)是人类最了不起的能耐,也是前五个习惯的整体表现与真正考验。惟有兼具人类四种特有天赋、以双赢的动机及将心比心的沟通技巧,才能达到统合综效的最高境界。统合综效不但可创造奇迹,开辟前所未有的新天地,也能激发人类最大潜能,即使面对人生再大的挑战都不足惧。

统合综效的观念源自一种自然现象:全体大于部分的总和。有些不同种的植物生长在一起,根部会互相缠绕,土质因而改善,植物也比单独生长时更为茂盛。两块木头所能承受的力量大于个别承受力的总和，两种药物并用的疗效也可能大于分开使用之和。这说明 1 + 1 等于 3,甚至更多。

但是自然界的原理应用于人类社会，并非万无一失。统合综效，也就是集体创新，最令人不安的正是，创造的结果吉凶难卜。冒险、探索与创新的精神必须以高度安全感为后盾。不入虎穴，焉得虎子;惟有肯放弃眼前安适环境的勇者，才能开疆阔土，迈向新境界。

家庭是观察与实践集体创作的理想场合。一男一女结合，孕育出新生命，这就是 1 + 1 等于 3。而统合综效的精髓在于尊重差异，取长补短。男女(或夫妻)生理上的不同显而易见，至于两者精神、情感与社会角色上的不同又如何呢?是否也能成为开创新生活与促进个人成长的契机，孕育出更为美好的下一代?

敞开胸怀,博采众议

所谓统合综效的沟通，是指敞开胸怀，接纳一切稀奇古怪的想法，同时也贡献一己的浅见。乍看之下，这似乎把习惯二——以终为始弃之不顾，其实正好相反。在沟通之初，谁也没有把握事情会如何变化，最后结果又如何。但安全感与信心使你相信，一切会变得更好，这正是你心中的目标。

很少人曾在家庭或其他人际关系中，体验过集体创作之乐，反而习于多疑闭锁的个性。这常造成一生中最大的不幸——空有无尽的潜力，却无用武之地。

一般人或多或少有过"众志成城"的经验，例如一场球赛暂时激发了团队精神;或是在危难中共同发挥急人所急的精神，挽回一条生命。不过，这些通常都被视为特例，甚至奇迹，而非生活的常态。其实这些奇迹可以经常发生，甚至天天出现。但前提必须勇于冒险,肯博采众议。

因为凡是创新就得承担,不怕失败,不断尝试错误。只愿稳扎稳打的人,经不起此种煎熬。

课堂上的统合综效

积多年教学经验,我深信最理想的教学状况往往濒临混乱的边缘,同时考验着师生统合综效的能力。

我永远忘不了曾教过一个班的大学生,课程名称是"领导哲学与风格"。记得开学3周左右,有一位同学在口头报告中,坦白道出自己的亲身经验,内容相当感人而且发人深省。全班都深受感动,十分佩服这位同学的勇气。

其他同学受到影响也纷纷发表意见,甚至对内心深处的疑虑也毫无保留,那种依赖与安谧的气氛激发人前所未有的开放。原先准备好的报告被搁置一旁,众人畅所欲言,展开一场脑力激荡。

我也完全投入,几乎有些浑然忘我。我逐渐放弃原定的教学计划,因为有太多不同的教学方式值得尝试。这决不是突发奇想,反而给人稳当踏实的感觉。

最后,大家决议抛开教科书、进度表与口头报告,另订新的教学目标与作业,全班兴致勃勃地策划整个课程内容。又过了大约3周,大家强烈渴望公开这一段经历,于是决定把学习心得汇集成书。大家又重新拟定计划,重新分组。

每位学生都比以往加倍努力,而且是为另一个截然不同的目标而努力。这段历程培养出罕见的向心力与认同感,即使在学期结束后依然持续不衰。后来这班学生经常举行同学会,直到现在,只要我们聚在一起,对那个学期的点点滴滴仍然津津乐道。

　　我一直很好奇,为什么在极短的时间内,这个班的学生就能够完全互信与合作。据我推测,多半是因为他们已是大四下学期的学生,个性相当成熟,对精彩的课程不再感到新鲜,他们渴望的是有意义的新尝试,所以那门课的转变对他们而言可谓"水到渠成"。

　　此外,身为老师的我也适时提供了催化剂。我认为纸上谈兵,不如实践演练,与其追随前人的脚步,不如另辟蹊径。

　　当然我也曾经与人合作失败,弄巧成拙,相信一般人都不乏类似经验。只可惜有人对失败念念不忘,再也不肯做第二次尝试。例如,某些主管为了少数害群之马,而订定更严厉的法则,限制大多数人的自由与发展。又好比企业合伙人互不信任,借重严密的法律条文保护自己,反而扼杀了真诚合作的可能性。

　　回顾过去担任顾问与教学的经验,我发现只要鼓起勇气,诚恳地言人所不敢言,总会获得相对的回馈,统合综效的沟通由此开始。在热切的交流中,纵使话不成句,思路不连贯,也不会构成沟通障碍。如此得到的结论,有些固然不了了之,但多半能发挥不容忽视的力量。

会议桌上的统合综效

　　我曾经与全体同事一起拟订公司的使命宣言,留下了相当美好的回忆。

　　我们齐集于山间,浸淫在大自然美景之中。起先,会议进行得中规中矩,等到自由发言时,却百家争鸣反应极为热烈。只见共识逐步成形,最后付诸文字,成为这么一则使命宣言:

　　　本公司旨在大幅提升个人与企业的能力,并且认知与实践以原则为中心的领导方式，达成值得追求的目标。

又有一次，我应一家大型保险公司之邀，主办当年度的企划会议。与筹备人员初步交换意见后，我发现以往的筹备方式是，先以问卷调查或访谈设定四五个议题，然后由与会主管发表意见。通常会议进行井然有序，却了无新意，只不过偶尔出现相持不下的激烈场面。

经我强调统合综效的优点，他们尽管有些不放心，仍同意改变形式。先由各主管以不记名方式针对主要议题提出书面报告，然后汇集成册，要求主管在会前详细阅读，了解所有的问题与不同的观点。如此一来，会议的重头戏不再是批评与辩护，而是聆听与统合综效。

在两天的会议期间，第一天上午，我们研习本书的第四、五、六个习惯，其余时间则专注在统合综效的讨论。会议不再令人感到无聊，人人都表现得很积极。到了会议的尾声，经由压力激荡，大家对公司面临的主要挑战有更深一层的认识，所有的意见都受到重视，新的共识逐步成形。

一旦体会过统合综效、众志成城的个中滋味，眼前便会呈现一片崭新的天地，人也仿佛脱胎换骨。而且更加确信，未来还会有更多这类扩展视野的机会。

沟通三层次

统合综效的基本心态是：如果一位具有相当聪明才智的人跟我意见不同，那么对方的主张必定有我尚未体会的奥妙，值得加以了解。

二战结束后，美国命利连撒尔（David Lilienthal）领导新成立

203

的原子能委员会。利连撒尔组织起一帮有高度影响力的人士，他们既是社会名流,也是自己理论的忠实信徒。

这些人面对极其繁重的任务,都有些急不可待,何况媒体也在不断催促。

但利连撒尔却花了几星期的时间，来建立自己的感情账户。他让组里的人去互相了解各自的兴趣、期望和目标,了解各自的背景、信奉的理论和模式,从而在人和人之间建立起相互联结的纽带。不过,利连撒尔本人却为此受到严厉的批评,被斥为"不讲效率"。

所幸的是,这群人果然相处得十分融洽,彼此非常坦率,相互尊重,即便意见不一,也首先是真心实意去努力理解对方。由此诞生了一种不寻常的组织文化。

图9－1显示出不同层次的沟通,信任度有高有低。

低层次的沟通由于信任度低，遣词用句多重防卫自己或在法律上站得住脚,力求无懈可击。这不是有效的沟通,只会使双

图9－1　沟通的层次

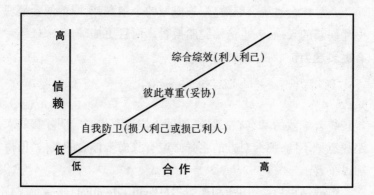

方更坚持自身立场。

中间一层是彼此尊重的交流方式，惟有相当成熟的人才办得到。但是为了避免冲突，双方都保持礼貌，却不一定为对方设想。即使掌握了对方的意向，却不能了解背后的真正原因，也不可能完全开诚布公，探讨其余的选择途径。

这种沟通方式通常以妥协折衷收尾。妥协意味着 $1+1$ 只等于 $1\frac{1}{2}$，双方互有得失。统合综效则使 $1+1$ 可能等于 8、16，甚至 1600，彼此收获更多。

开辟第三变通方案

沟通层次如何左右互赖关系的融洽与否？且看以下这个例子：

假期，一位父亲想带全家去露营钓鱼。他策划许久，做好一切安排，两个儿子也兴奋地期待着。怎奈妻子却打算利用难得的假期，陪伴久病不愈的母亲。一场家庭争端仿佛一触即发。

丈夫说："我们已经盼望了 1 年，而且孩子们到外婆家无所事事，一定吵翻天。更何况她老人家病情并没有那么严重，又有你妹妹就近照顾。"

妻子说："她也是我的母亲，不知道在世上还有多少日子，我要陪在她身边。"

"你可以每晚打电话请安，反正我们会跟她一起过圣诞节。"

"那还有好几个月，不知那时她是否还在人世。母亲总比钓鱼更重要。"

"丈夫孩子比母亲更重要。"

这样争执下去，最后或许会有折衷的安排，也许是妻子独自去探望母亲,丈夫带着孩子去度假。可是夫妻俩都会有内疚感,心情不可能愉快,孩子也会察觉到,连带也不会玩得尽兴。

要不然,先生向太太投降,但心不甘情不愿,有意无意地就想证明如此决定何其错误。反之,妻子顺从先生的心意,却毫无玩兴。万一母亲的病情稍有变化,她一定反应过度。倘若母亲不幸在此时病危或撒手人寰,做妻子的更不会原谅丈夫,丈夫也难以原谅自己。

不论如何妥协,总会成为夫妻间挥之不去的阴影,日后再起冲突就会掀旧账。许多原本颇为美满的婚姻,常为了这类事件日积月累,以致反目成仇。

如果这对夫妇感情深厚,彼此依赖,沟通良好。而且都相信有两全其美的第三条路可走,又能真正了解对方的想法,那便是创造性合作的理想环境。

经过沟通,先生终于了解妻子的苦心——她减轻妹妹常年照顾母亲的负担,也的确没有把握母亲还有多久于人世。妻子也理解,丈夫曾花费许多心思安排这趟旅行,连必要的装备都买妥,如果不去多么可惜。

于是他们试着寻找第三条可行之道。

先生说:"也许在这个月找 1 周,家事请人代劳,其他由我负责,你就可以去看母亲。要不然,到距离母亲较近的地点去度假钓鱼也不错,甚至邀请附近的亲友一起度假,更有意思。"

就这样夫妻俩互相商量,直到找出共同认可的方式,不仅满足双方的需要,也使彼此感情更上一层楼。

消极协作

只可惜,一般人讨论问题时,浪费太多的时间精力在打击批评、玩弄手段、文过饰非或是曲解他人。仿佛一脚踏着油门，另一脚踩着刹车，车子还能开得稳吗？

分歧发生时本当及时刹车，但许多人反而猛踩油门，施加更大压力，为自己找更多理由来自圆其说，这都是不够独立的表现。不论是仗势欺人，损人利己，或企图讨好别人而损己利人，都不可能产生创造性合作。

至于缺少安全感的人往往坚持己见，一意孤行，处处要别人顺从与附和。他们不了解，人际关系最可贵的正是接触不同的观点。一致并不代表团结，相同也不意谓齐心；团结才能互补，合作应该尊重差异。

创造性合作不仅对人际关系非常重要，对个人也十分重要。凡擅长语言、逻辑，即左脑较为发达的人终会发现，有些需要创造力来解决的问题，理性是无能为力的。惟有运用久已闲置的右脑，使右脑主司的直觉与创造力与左脑相配合，共同运作，才能解决更多的难题。

我曾在佛罗里达州的奥兰多为当地一家公司举办研讨会，题为"左脑主司管理，右脑主司领导"。中间休息时，公司总经理对我说："史蒂芬，研讨会很有意思。不过我考虑更多的是怎样才能把它用于我的婚姻而非生意。我妻子和我确实存在着交流上的问题。"他邀请我和他们一起吃午饭，以观察他们是怎样交谈的。

午饭时，寒暄之后，总经理对他妻子说："亲爱的，我知道你觉得我应该更细心更体贴些。可不可以说得具体些，你认为我该做些什么？"这位丈夫的左脑希望得到事实、数字和细节。

"我早就说过了，不是因为什么具体的事，而是出于我的一种总的感觉。"这位妻子的右脑提供感觉和概况。

207

"什么是'总的感觉'？你究竟希望我做什么？说具体些我好有点数。"

"啊，那只是一种感觉。"她的右脑只接受印象和直观的感觉。"我只不过觉得我们的婚姻并不像你对我说的那么重要。"

"那我能做些什么使它变得更重要？告诉我一些具体的、特别该做的事。"

"它很难言说。只是一种感觉，一种非常强烈的感觉。"

总经理说："亲爱的，这就是你的问题了，你母亲也有这样的问题。事实上，我所认识的每一位女士都有类似的问题。"

然后，他开始用法庭里的口吻讯问妻子。

"你是否住在你愿意住的地方？"

"不是这个问题。"她叹了口气说，"根本就不是这个问题。"

"我知道。"他耐着性子，"因为你不确切告诉我原因何在，我要知道它是什么的最好办法就是搞清楚它不是什么。你是否住在你愿意住的地方？"

"我想是吧。"

"只要简单回答'是'或'不是'。你是否住在你愿意住的地方？"

"是。"

"那好，这个问题解决了。你是否得到了你想得到的东西？"

"是。"

"好。你是否能做你想做的事？"

他们就这样一问一答。我知道自己一点儿也帮不上忙，所以就插了一句："你们之间的关系就是这个样子吗？"

"每天如此。"总经理说。

妻子叹了口气,说:"我们的婚姻就是这个样子。"

我看着他们,脑子里闪过一个念头:这是两个生活在一起,但各自只有半个头脑的人。我问:"你们有孩子吗?"

"有,有两个。"

"真的?"我难以置信地问,"你们是怎么做到这一点的?"

"我们怎么做到这一点的?你指什么?"

"你们是协同的!"我说,"1 + 1 一般等于 2,但你们却做到了等于 4。这就是协同作用:整体大于各部分之和。你们是怎样做到这一点的?"

"你知道我们是怎么做到的。"总经理回答说。

"你们一定做到了尊重差异!"我大声说。

尊重差异

与人合作最重要的是,重视不同个体的不同心理、情绪与智能,以及个人眼中所见到的不同世界。

自以为是的人总以为自己最客观,别人都失之褊狭,其实这才是画地为牢。

反之,虚怀若谷的人承认自己有不足之处,而乐于在与人交往之中汲取丰富的知识见解,重视不同的意见,因而增广见闻。此所谓"三人行,必有我师焉"。

至于完全矛盾的两种意见同时成立,是否合乎逻辑?问题不在于逻辑,而是心理使然。有些矛盾的确可以并存,前面所提到有关妇女画像的测验已充分证明,同一景象会引起互相矛盾的诠释,而且都言之成理。

假如两人意见相同,其中一人必属多余。与所见略同的人沟通,毫无益处,要有分歧才有收获。

　　个别差异的重要性从教育家李维斯（R. H. Reeves）的著名寓言《动物学校》(*The Animal School*)中可见一斑:

　　有一天，动物们决定设立学校，教育下一代应付未来的挑战。校方订定的课程包括飞行、跑步、游泳及爬树等本领，为方便管理，所有动物一律要修全部课程。

　　鸭子游泳技术一流，飞行课的成绩也不错，可是跑步就无技可施。为了补救，只好课余加强练习，甚至放弃游泳课来练跑。到最后磨坏了脚掌，游泳成绩也变得平庸。校方可以接受平庸的成绩，只有鸭子自己深感不值。

　　兔子在跑步课上名列前茅，可是对游泳一筹莫展，甚至精神崩溃。

　　松鼠爬树最拿手，可是飞行课的老师一定要他自地面起飞，

210

图 9－2　助力与阻力相抵消

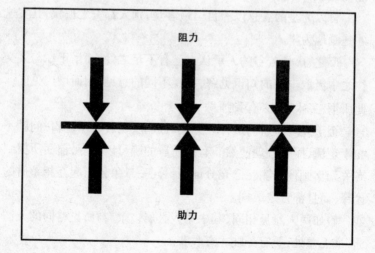

不准从树顶下降，弄得他神经紧张，肌肉抽搐。最后爬树得丙，跑步更只有丁等。

老鹰是个问题儿童，必须严加管教。在爬树课上，他第一个到达树顶，可是坚持用最拿手的方式，不理会老师的要求。

到学期结束时，一条怪异的鳗鱼以高超的泳技，加上能飞能跑能爬的成绩，反而获得平均最高分，还代表毕业班致词。

另一方面，地鼠为抗议学校未把掘土打洞列为必修课，而集体抵制。他们先把子女交给雏做学徒，然后与土拨鼠合作另设学校。

化阻力为助力

在互赖关系中，统合综效是对付阻挠成长与改变的最有力途径。社会学家莱温 (Kurt Lewin) 曾以"力场分析" (Force Field Analysis) 模型，来描述鼓励向上的助力与阻挠上进的阻力，如何呈互动或平衡的状态。

助力通常是积极、合理、自觉、符合经济效益的力量；相反地，阻力多半消极、负面、不合逻辑、情绪化、不自觉、具社会性与心理性因素。

以家庭为例，根据理智判断，家中气氛应该和谐、开放与尊重，认同这种观念便是助力。但仅加强助力还不够，诸如子女间的竞争、夫妻间的失和、或工作忙碌无暇顾及家庭等等阻力，会抵消正面的力量。

不设法削减阻力，只一味增加推力，就仿佛施力于弹簧上，终有一天引起反弹。几经努力失败后，就会引起改进不易的感叹。

如果能配合双赢的动机、将心比心的沟通技巧与统合综效

211

的整合功夫，不仅可破解阻力，甚至可化阻力为助力。

我曾经多次参与谈判，由于双方心怀怨愤，又互聘律师坐镇，结果沟通越发困难，几乎只能对簿公堂。

此时我都会建议："我们是否能设法找出两全其美之计呢？"

当事人往往口头上认同，心里却不以为然。

如果再问："假设我能说服对方，你是否同意重新开始真正的沟通？"通常答案都是肯定的。

经过我居中努力，结果几乎都出人意料，几个月来在心理与法律上对立的难题，可在数小时或数日内完全解决。不是经由法院判决妥协，而是统合综效后产生更理想的方案。

有一天清早，我接到一位土地开发公司负责人的求救电话。由于他未按时缴交贷款，银行打算没收抵押的土地；为了保护产权，他又反控银行。事情的归结在于：这位负责人需要更多资金完成土地开发，以便出售求现，再偿还贷款。但在他付清积欠款项前，银行拒绝再提供贷款。这是个鸡生蛋，还是蛋生鸡的问题。

另外，由于开发进度落后，附近居民纷纷抗议，市政府也备感尴尬。此时银行与开发业者均已投下成千上万的诉讼费，但距开庭还有好几个月。

经过电话中一番劝说，他勉强同意尝试第四、五、六个习惯，安排与银行方面谈判。

早上 8 点在银行会议室展开的会议，一开始就剑拔弩张。对方的律师关照谈判人员不可说话，由他一人发言，以免影响将来打官司的立场。

前 1 小时半，由我讲述双赢思维、知彼解己与统合综效等观念。然后根据初步了解，把银行方面的顾虑写在黑板上。起先对方没有什么反应，逐渐地，他们开始加以澄清，双方终于可以沟通了。对于此事可能和解，彼此都感到十分兴奋。银行谈判人员不顾律师反对，畅所欲言。

到后来虽然双方立场不变，但不再急于为自己辩护，也愿听听对方的说法，于是我又把土地开发业者的意见写上黑板。

彼此逐渐发现过去由于沟通不良，引起极大的误会。现在心结既已打开，和解指日可待。

正午时分——原定结束会议的时间，会场上讨论气氛却异常热烈，开发业者所提的建议正获得热烈回应。经过一番增删，到了 12 点 45 分，双方完成初步协议。这项谈判后来虽然又持续了一段时间，但官司已经撤回，那片土地上总算盖起了一栋栋的新房。

我举此例并非表示，不该按法律途径解决问题。有时的确有此必要，但应是万不得已的做法。假若一开始就诉诸法律，即使是为了以防万一，也会破坏合作解决问题的契机。

重视个人参与

自然界是一个唇齿相依的大家庭，宇宙万物彼此关联，团结可以发挥最大的力量。动物如此，人类也是如此。本书的七个习惯若能综合运用，效果最为宏大。

个人的参与左右着集体的成败。愈是真诚地投入，锲而不舍地参与解决问题，愈能发挥个人创造力，所获成就也更能得到认同。我个人相信，日本人的经营方式改变了全球市场，最了不起之处即在于重视个人参与。

统合综效是正确有效的原则，也是前面所有习惯的集大成。他人的观念或统合综效的过程，固然不是我们所能控制的，但仍有许多个人影响圈所能企及的。就自身而言,我们可以整合左右脑各自所擅长的分析与创造能力,并凭借其间的差异来刺激创新。

即使在最不利的环境中,依然可进行内心的整合。不必太在意旁人的诋毁,应该化解负面的阻力,发掘别人的长处以弥补自己的不足,在僵持不下的局面中,寻找第三种可能性。

◙立即行动

一、回想一位经常与你意见不合的人,有哪些方式可使彼此从分歧中找出第三条路?不妨请对方提供意见,并珍惜这不同的声音。

二、把令你不满的人的名单列出,试想如果你有足够的安全感与容人雅量,他们的不同见解是否有可取之处?

三、在哪一种状况下,你必须借重团体的力量?这需要哪些条件配合?应该如何培养这些条件?

四、下一次与人冲突或意见相左时,设法了解对方的立场背景,是否有什么顾虑?请以富创意、互惠的方式消解这些顾虑。

全面观照生命

第四部分

习惯七:不断更新——平衡的自我更新的原则

SHARDEN THE SAW

第十章

习惯七：不断更新
——平衡的自我更新的原则

人生最值得的投资就是磨练自己，因为生活与服务人群都得靠自己，这是最珍贵的工具。

工作本身并不能带来经济上的安全感，具备良好的思考、学习、创造与适应能力，才能立于不败之地。拥有财富，并不代表经济独立，拥有创造财富的能力才真正可靠。

7 不断更新

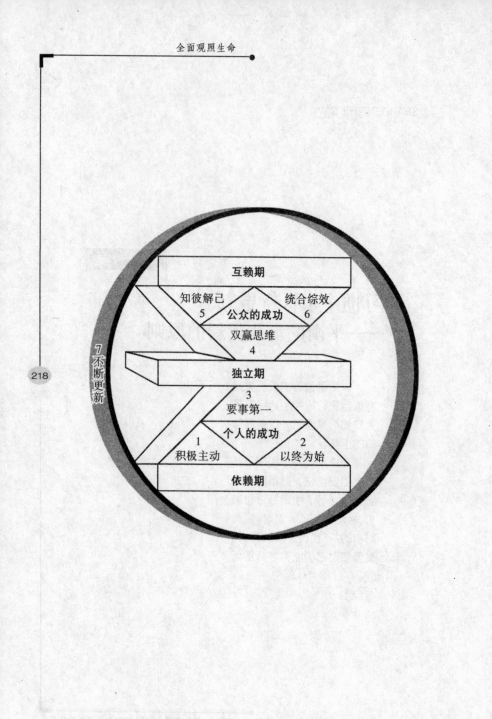

伟大的成就往往源自微不足道的小事。每念及此，我总认为世上没有小事。

——巴登（Bruce Barton），前美国众议员及广告业者

假使你在森林中看到一名伐木工人，为了砍一棵树已辛苦工作了 5 个小时，筋疲力竭却进展有限，你当然会建议他："为什么不暂停几分钟，把锯子磨得更锋利？"

对方却回答："我没空，锯树都来不及，哪有时间磨锯子！"

更新的四个方面

在这里我必须强调"工欲善其事，必先利其器"的观念，习惯七的主旨就是磨练自己，从身体、精神、心智与社会情感等四个方面，增进个人产能，累积其他修养的本钱。

磨练自己是指以均衡明智的方式，经常从上述四方面训练自我。这种修养功夫完全得靠自己，旁人无法越俎代庖，它属于前文提到的重要而不紧急的事。

人生最值得的投资就是磨练自己，因为生活与服务人群都

图 10 - 1　从四个层面磨练自己

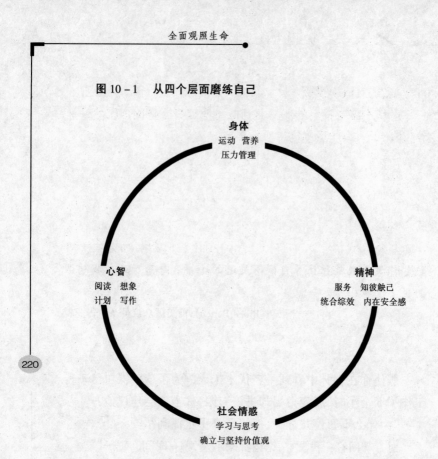

身体
运动　营养
压力管理

心智
阅读　想象
计划　写作

精神
服务　知彼触己
统合综效　内在安全感

社会情感
学习与思考
确立与坚持价值观

得靠自己,这是最珍贵的工具。

身体方面:适当运动助健康

锻炼身体也就是维持健康——吃营养的食物,充分休息,以及定期运动。运动对保健极其重要,可惜经常被忽略。因为我们从不认为运动是当急要务,因循蹉跎,等到身体状况恶化,为时已晚。

许多人都宣称抽不出时间运动。其实每周抽 3 至 6 小时,或每天抽出半小时并不困难,但是对每星期其余 100 多小时却大有裨益，绝对值得投资。

运动不需要特定的器材，到健身房健身或打网球固然是运动，在家里照样能活动筋骨。好的运动可以增进耐力、弹性与力气。

"耐力"指心脏血液送达全身的效率。心脏本身也是由肌肉组成，不过心肌得靠运动其他肌肉（尤其是腿肌）来锻炼。所以游泳、散步、跑步与自行车，对身体十分有益。运动时应保持每分钟至少心跳 100 次，而且连续 30 分钟，才算及格。如果能达到个人最高脉搏次数（也就是最高心跳次数）的 6 成，更为理想。计算最高心跳次数的公式是 220 减去年龄，40 岁最高心跳次数是 180，180 的 6 成是 108。要想达到锻炼效果，心跳次数必须在最高心跳次数的 72% 至 87% 之间。

"灵活性"可借助有氧运动前后的伸展动作加以训练。事前的伸展可以放松肌肉与暖身，事后的伸展则可以放松肌肉与暖身，减轻肌肉酸痛。

"力气"可通过持久的肌肉运动来培养，例如伏地挺身、仰卧起坐等等。至于究竟应该锻炼到何种程度，视个人需要而定。劳力者如运动员，必须加重分量；劳心者则在有氧运动、伸展运动外，稍微加些柔软体操即可。

一般人锻炼体魄不必像运动员一样，吃得苦中苦，才会有收获。要紧的是必须有规律，并且循序渐进，适可而止，以免造成运动伤害。素来缺乏运动的人，一开始会很不习惯，但应以意志力克服退缩的念头，切不可追求速效，以免超出身体的负荷。运动之前，不妨参考他人的经验，或听取医生的建议。

随着体力的增进，对日常活动更可以应付自如，再也不会一到下午就精神不济，或是疲倦得无法做运动。再者，运动还能培

221

养毅力,增加自信。

精神方面:荡涤心灵的尘埃

陶冶精神可培养我们掌握人生方向的能力，与习惯二——以终为始密切相关。

精神是人的核心,代表价值体系,极为隐私又极端重要。每个人提升精神层次的方式各自不同。举例来说,我每天颂读《圣经》,祈祷沉思,因为《圣经》代表我的的价值体系。有些人受到伟大的文学作品或音乐所感动;有些人则选择接近大自然。作家葛登(Arthur Gordon)曾描述他个人精神重建的亲身经历。

有一度他感觉人生乏味,意志消沉,灵感枯竭。这种情况愈演愈烈,不得不求教于医生。经检查身体,一切正常,医生便建议他做一次精神之旅——到幼年时最喜爱的地点度一天假。可以进食,但禁止说话、阅读、写作或听收音机。然后医生开了四张处方,嘱咐他分别在 9 点、12 点、下午 3 点及 6 点拆开。

第二天,葛登如约来到最心爱的海滩,打开第一张处方,上面写着"仔细聆听"。他的第一个反应是,难道医生疯了不成?我岂能连续呆坐 3 小时?但葛登仍遵医嘱,耐心地四下倾听。他听到海浪声、鸟声,不久又发现起初未注意的许多声音。一边聆听,一边想起小时候大海教给他的耐心、尊重及万物息息相关等观念。他逐渐听到往日熟悉的声音,也听出沉寂,心中逐渐平静下来。

中午,他打开第二张处方:"设法回头。""回头什么呢?"也许是童年,也许是往日美好的时光。于是他开始从记忆中挖掘点点滴滴的乐事,设法回忆每个细节,心中渐渐升起一股温暖的感觉。

3点钟，葛登打开第三张处方，前两张并不难办到，这一张"检讨动机"却不容易。起初他为自己的行为辩护，在追求成功、受人肯定与安全感的驱使下，他不得不采取某些举动。可是再一细想，这些动机并不怎么正当，或许这正是他陷入低潮的原因。回顾过去愉快满足的生活，他终于找到了答案。他写道：

我突然领悟到，动机不正，诸事便不顺。不论邮差、美发师、保险推销员或家庭主妇，只要自认是为人服务，都能把工作做好。若是为私利，就不能如此成功。这是不易的真理。

到了6点，第四张处方很简单："把忧愁埋进沙子里。"他跪在沙滩上，用贝壳碎片写了几个字，然后转身离去，头也不回。因为他知道，潮水会涌上来。

荡涤心灵的尘埃需要投注时间。伟大的改革家马丁·路德(Martin Luther)说过："今天我有那么多的事要做，我需要再跪上1个小时。"对他来说，祈祷不单是一个机械的责任，而是增加精神动力的源泉。

东方古代的一位禅师无论面对什么压力，都能保持自己的安详和平静。有人问他："你是怎么保持安详和平静的？"禅师答："我从未离开过我静思的地方。"每天一清早，他就起身静思，天天如此。就这样他把平和静穆溶入自己的心灵里。

事实上，我们只须花费一点时间，只要把人生的意义与方向想个透彻，它就会像一盏明灯，指引我们积极进取。

这正是为什么我要强调个人使命宣言的重要性。借着修正使命宣言，我们可以经常检讨人生目标与重心，并强化信念。

宗教领袖马偕(David O. Mckay)曾说：

在寂静的精神世界里,每天都进行着生命最大的战争。

若能赢得这些战争,平息内在的冲突,就能了解人生的意义,得到内心的平安。

心智方面:不要停止自我教育

通常心智发展与学习活动都在正规教育中进行,一旦离开学校,许多人就不再认真学习——从不阅读严肃的书籍,从不在工作之外求知,从不分析思考,也不努力写作,徒然把时间浪费在看电视上。

根据调查,多数家庭每周过看电视长达 35 至 45 小时,与工作时数不相上下,甚至比上课的时间还久。电视具有最强大的社会化力量,观众无形中被荧光屏上的价值观洗脑,影响力可谓无所不在。

选择电视节目必具备掌握重点的智慧,以辨别最符合本身价值观与目标的节目。

我家每周看电视维持在 7 小时左右,平均每天 1 小时。我们曾举行家庭会议,讨论看电视的利弊,最后一致同意看电视成瘾或沉迷于肥皂剧是一种病态。

有些电视节目固然寓教于乐,但也不乏浪费时间,甚至产生副作用的烂节目,必须慎加选择。

教育才是砥砺心智的正途。借重外来的教育与训练,不失为继续求知的良策,但主动积极的人更懂得如何把握机会自我教育。

自我教育的最佳方式,莫过于养成阅读文学名著的习惯,进而师法伟人。我极力推荐大家由月读一书开始，然后进步到两周一书，甚至每周一书。"不读书跟不识字没有两样。"好的杂志与图书也值得一读。

写作是砥砺自我的另一有效途径。记下个人的心得、经历、思想，可借以理清思路，增进思考能力；撰写思想深刻的信函也同样有益。组织与规律是与习惯二、三相关的心智成长法。

有句话说："运筹于帷幄之中，决胜于千里之外。"以上三方面的磨练是个人求胜之门。我建议读者，每天身体力行 1 小时，而且终身不渝。

社会情感方面：历练待人处事之道

这种磨练和习惯四、五、六关系密切。因为社会与情感生活互为表里，情感主要来自人际关系，也多半反映在人际关系上。因此不多费心，只要在日常交往中多加练习即可。以关系密切的人为例，不论是配偶子女，或同事亲朋，由于必须经常接触，难免意见相左。我眼中的少妇，可能却是你眼里的老妪。

化解分歧的第一步是实践习惯四，向对方提议继续沟通，直到获得双方满意的结果为止，通常一般人都会接受这种建议。其次运用习惯五，先聆听对方的意见，但不是为了回应，而是想更深入地了解对方；直到可以正确复述对方的观念，才算大功告成。接着准地表达自己，最后再统合综效，寻找第三条路。

习惯四、五、六的成功关键不在于理智，而在于感情，在于厚实的安全感。而安全感来自内在，不假外求，外界权势荣誉都不足以为靠。

至于增进内在安全感的方式，包括：坚守原则，肯定自我；与人为善，相信人生不止输赢两种抉择，还有双方都是赢家的第三

225

种可能性;乐于奉献,服务人群;燃烧自己,照亮别人。如果把工作当作一种奉献,再平凡的职业也会显得不同凡响。

英国文学家萧伯纳(George Bernard)说:

"这便是真正的快乐,即被用于一个你自认为是有力的目标。也就是说,要成为一种自然的力量,而不是一个狂热的、自私的、精神不正常和牢骚满腹的傻瓜,抱怨世界不让你幸福。我的看法是:我的生命属于整个社会,只要我活着,我就要为它奉献我所能做的一切,这是我的荣幸。希望在我去世时,我能为社会耗尽自己的一切,因为我越努力工作,就会活得越久,我为生活本身而越感到快乐。在我看来,生活并不是短暂的烛光。它是一支辉煌的火炬,我不仅现在举着它,而且要在传给后人之前,让它尽可能燃烧得更明亮些。"

坦纳(N. Eldon Tanner)曾经说过:"服务是我们向允许我们生活在地球上的特权交纳的租金。"服务的途径有多种。不论是属于教会还是服务组织,每度过一天,我们都应以无条件的爱,至少为另一个人服务。

你可以帮助他人成长

一般人都生活在社会制约下,受别人好恶所左右。在互赖关系中,你我都是社会制约的一部分。因此,我们可以如实反映他人的个人形象,把他人当成有责任感的人看待,以鼓励其培养积极主动的态度,成为以原则为中心、重视价值观且不失本色的独立个体。

富足的心态则使我们助人成长,不致顾忌会对自己不利。

相反地，我们深信这会增加与其他独立个体进行有效交流的机会。

你是否也曾因别人的信任，祛除对自我的疑虑，并进而影响了一生？你是否也能扮演一个肯定别人的人？当社会评价使人退缩时，你能否以信任、聆听与设身处地的体谅，鼓舞他们力争上游？

音乐片《拉曼查的男人》（*Man of La Mancha*）讲述了一个帮助他人成长的故事。一位中世纪的骑士遇上了一位街头女郎，也就是妓女，她遇到的所有人都认定她的生活方式不会改变了。但这位富有诗意的骑士却看到了她身上的美好和可爱，以及其他美德，一次又一次地肯定了她。骑士给她起了一个新的名字，叫杜尔西尼，这是一个和一种新的生活方式相关联的名字。

起初，女郎坚决拒绝接受新名字，她过去受到的影响是无法抗拒的。她认为骑士是一个激进的幻想家，对他不屑一顾。但骑士锲而不舍，不断地无条件地奉献爱。渐渐地，这种爱渗透到女郎真实的本性之中，她开始改变自己，按照新的生活方式行事，这起初让她生活中的其他人备感惊讶。

后来，她又回转到过去的生活方式中了。生命垂危的骑士把她叫到病床边，唱了那支美丽的歌曲《无法实现的梦》。他注视着她的眼睛，悄声说："永远别忘了，你是杜尔西尼。"

在英国也有一个常被人津津乐道的例子。由于计算机程序设计疏忽，结果一个班的"聪明"学生与另一个班的"愚笨"学生互相颠倒了。好班变成坏班，坏班却变为好班。学年刚开始时，老师都根据计算机报告衡量学生掌握知识的程度。

校方在 5 个半月之后才发现这项错误，于是决定将错就错，

227

先对两班学生做个测验，再公布真相。没想到测验结果出人意外，被电脑列为坏班的"聪明"孩子，智力测验的成绩大幅退步。因为老师视他们为智能有限、"不可教也"的孺子，成见不幸成真。

反观"笨"孩子却阴错阳差地被当做聪明活泼的好孩子来看待，老师积极的态度与期望感染了学生，使他们的智力测验成绩大有进步。

事后老师谈到当时的感觉。最初几周，他们用教导好班的方式教这班笨学生。由于效果欠佳，所以他们只好改变方针。因为既然计算机指出这一班学生智商都很高，那么一定是教学法有待改进，不会是学生本身的问题。这个例子充分证明，学习困难往往是一成不变的教学法所造成的。

因此，我们应尽量发掘他人的潜能，少用记忆力而多用想象力去看待配偶、子女、同事或雇主。不要为成见所局限，试着改用全新的观点去认识他们，协助他们成为成熟独立的个体。

歌德早有明训：

以一个人的现有表现期许之，他不会有所长进。以潜能与应有的成就期许之，他就会不负所望。

企业也须均衡发展

自我磨练应当从身体、精神、心智与社会感情四方面齐头并进，不可偏废，否则就难以达到目标。

企业力争上游的道理也是这样。企业的体质就是财务状况；心智涉及人力资源的开发、培养与运用；社会情感指公关与员工待遇；精神则反映出目标宗旨与原则。企业健全与否系于这四方面的平衡发展，原本有益的助力也有可能成为阻力。

比方有许多惟利是图的企业，表面上高唱崇高的理想，骨子里却一心一意只想赚钱。这种企业内部都有严重不和的现象：不同部门各自为政、勾心斗角、明争暗斗。谋利固然是企业经营的基本目的，但并非企业存在的惟一目的。犹如生命少不了食物，但人决非为吃而活。

另一方面，有些企业极重视公关，却忽略财务因素。不讲求经济效益的后果，终有遭到淘汰的一天。

还有些企业，重视服务、财务与人际关系，却不在意人才的发掘与培育。最后导致独裁式的领导，难以凝聚员工的向心力，使营运潜存着危机。

因此，在个人或企业的使命宣言中，应当四者兼顾。稳定平衡的成长，正是日本经济成功的秘诀。

七个习惯相辅相成

人生的四个层面休戚相关：身体健全有助于心智发展，精神提升有益于人际关系的圆满。因此，平衡才能产生最佳的整体效果。

本书的七个习惯也惟有在身心平衡的状态下效果最佳，因为每个习惯之间，都存在着密不可分的关系。

愈是积极主动（习惯一），就愈能掌握人生方向（习惯二），有效管理人生（习惯三）。能够不断砥砺自己（习惯七）的人，方懂得如何了解别人（习惯五），寻求圆满的解决之道（习惯四、六）。同理，一个人愈独立（习惯一、二、三），就愈善于与人相处（习惯四、五、六）。磨练自己，则可以提升前六个习惯的境界。

此外,增进体能可以加强定力(习惯一),这算得上是运动除健身之外的最大益处。

锻炼意志力有助于掌握人生(习惯二),增进实现自我的力量;另外,不违背良知,不为外力所动摇,安全感也由此而生。

发展心智则可强化管理能力,在规划人生时,强制自己以要务为重,不受急事所羁绊,以使时间精力做到最有效的运用。而活到老学到老则可扩大知识领域,增加选择空间。

请切记:工作本身并不能带来经济上的安全感,具备良好的思考、学习、创造与适应能力——也就是产能,才能立于不败之地。拥有财富,并不代表经济独立,拥有创造财富的能力才真正可靠。

每天抽出至少1小时锻炼自己,不但是个人胜利之论,也是群体成功的基础,更何况它不假外求,何乐而不为?

聆听良知的声音

不断的自我更新是改变与成长的关键,但在这个日新月异的过程中,良知的指引不可或缺。法国女作家斯塔尔夫人(Madame de Stael)有句名言:

良知的声音极其微弱,很容易被淹没,可是却又清晰得令人无法遁逃。

良知是人类与生俱来、明辨是非善恶的本能。正如优秀的运动员必须锻炼神经与肌肉协调能力,杰出的学者必须激励心智,成功圆满的个人也需要激发良知。所以,我们应经常阅读发人深省的著作,怀抱崇高的理想,奉行自己的信念。全神贯注,持之以恒。

如果垃圾食物与缺乏运动会摧毁优秀的运动员，淫秽邪僻的书籍也会助长人性黑暗面，使人是非不分，只关心是否会被人揭发。事实上，玩火者终有自焚的一天。

哈马舍尔德说：

你不可能玩弄自身的兽性而不会成为地地道道的野兽；弄虚作假而不丧失获得真理的权利；性情残忍而不失去头脑的敏锐。想保持花园整洁的人不会留下一块荒草地。

人贵自觉，人生应有目标与原则，否则便无异于禽兽，仅为生存与繁殖而活。堕入这种层次的人不是享受生命，而是"受制于"生命，白白糟蹋万物之灵的天赋。

修身励志没有捷径，必定是一分耕耘一分收获。而正直与成功不可分，做人愈是端正，愈能够正确判断客观世界，心中的观念地图也愈精确。这种良性循环能够使人成长，但必须靠不断的学习、坚持与实践良知所认定的正确原则来维系。

图10—2　良性循环使人成长

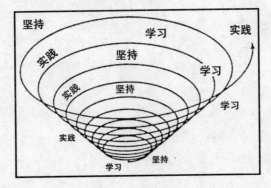

◎立即行动

一、把符合个人兴趣与生活方式的运动项目列出清单。

二、选择其一作为未来一个计划中个人角色的目标，然后在下周结束时评估自己的表现。若未达成原定目标，原因在于有更重要的事必须完成，还是因为缺乏毅力？

三、同样把锻炼心智与精神的活动列出清单。社会情感部分，则列举希望改进的人际关系，或有助于提高效率的特定环境因素。从三张清单中各选一项作为下周的目标，付诸实施评估成果。

四、每周力行列表、实践、评估的自我锻炼功夫。

第十一章

再次由内而外造就自己

> 与我们所爱的人、朋友、
> 我们的同事和谐一致，或曰
> 统一，是七个习惯的最高的、
> 最美好成果。

233

上帝做事由内而外，俗世做事由外而内。俗世将人引出贫民区，基督则先从人那里拿走贫民区，然后人再自己走出贫民区。俗世通过改变环境造就人。基督先改变人，人再改变环境。俗世只是塑造人的行为，基督能改变人的本质。

——本森(Ezra Taft Benson)，美国前农业部长

234

我愿向你讲述一个有关我个人的故事，我以为其中蕴含了本书的精髓。希望从中你能理解本书所包含的那些原则。

一些年前，我们全家去夏威夷瓦胡岛北岸的拉耶度度年假，以方便我写作。

安顿停当之后不久，我们就制定了一个起居和工作日程表，不仅使我工作富有成效，而且使全家非常愉快。

每天清晨，我们沿着沙滩跑步，然后，把两个光脚丫、穿短裤的孩子送去上学。我再去甘蔗地旁一所孤零零的房子，在那里的办公室里写作。那里非常宁静，没有电话，不开会，也不安排紧急约会。

我的办公室在一所学院的边上。一天，我在学院图书馆里

偶然看到一本书，引起了我的兴趣。书中一段话曾有力影响了我其后的生活。

这段话的大意是：在刺激和反应之间存在着一段距离，我们成长和幸福的关键就在于如何利用这段距离。

这一思想对我精神的震撼无法形容，虽然一直受着自我决定论的教育，但"刺激和反应之间存在着一段距离"的说法，依然让我感到一种新鲜的、几乎难以置信的革命性的力量。

这段话对我的生活模式产生了有力的影响，似乎我变成了自己生活的旁观者，站在那段距离之外去观察。从中我感到了主动选择所具有的内在自由感。

其后不久，桑德拉和我开始进行深度交流。午后，我驾驶一辆红色本田摩托去接她，带上两个未上学的孩子，一个坐在我和桑德拉之间，另一个坐在我左膝上。我们在甘蔗地里缓慢行驶约1小时，只是为了交谈。

孩子们都盼着乘车兜风，几乎从不吵闹。摩托车的声音不大，我们可以轻而易举地听到对方在说什么。通常我们开到一处僻静的海滩，在那里野餐，吃午饭。

孩子们完全被沙滩和岛上的一条淡水河所吸引，桑德拉和我因而可以不受打扰地继续交谈。整整1年，我们每天都至少用2个小时进行深层次的交流。无须丰富的想象力你就可以想见，我们之间的理解和信任已达到何种程度。

起初，我们谈论一切感兴趣的话题——人、思想、事件、孩子、我的著作、我们的家庭、将来的计划等等。渐渐地，交流向深层发展，我们越来越多地谈论自己的内心世界——所受的教养、影响，彼此的感情，以及缺乏自信等问题。深深沉浸于交流过程中的同时，我们也在观察交流和处于交流中的自身，思考自己是如何被

再次由内而外造就自己

塑造的,这些塑造是怎样形成的,以及我们究竟怎样看待世界。

当我们开始向内心世界探险时,我们发现这比外部世界的任何事情都更令人激动,更具有驱动力,更加充满发现和见识。

不过,交流也并不总是甜蜜的。偶尔,我们也触及一些易受伤害的痛处,一些痛苦的、尴尬的或自我暴露的经历。多少年来,我们一直希望深入探讨这些经历。而当我们深入其中再出其外之后,我们觉得自己在一定程度上都被治愈了。

一开始,我们就互相支持、互相帮助、互相鼓舞,设身处地体谅对方,因而,培育和促进了彼此对内心世界的发现。

逐渐地,我们形成了两条心照不宣的规则。第一条是"不细究"。一旦将自己易受伤害的部分展示出来,细究就带有侵犯性,易激起恐惧和怀疑。所以,互相之间最好不去询问,只是设身处地地体谅对方。

第二个规则是,如遇伤害过重感到痛苦的情形就停止交流,等感到痛苦的一方有足够的精神准备时再继续。我们的交流往往围绕细节进行,当触及彼此的脆弱之处时,困难便出现了。此时,刺激和反应之间的距离似乎已不存在,同时还产生了一些不良感情。

这可能与我的个性有关。我父亲是一位非常不擅交际的人,他很自制,小心谨慎。我母亲则非常开朗。在我身上,这两种性格兼而有之。当我感到不安全时,会像父亲一样缄默,小心地隐藏自己。

桑德拉则像我母亲——喜欢交际、真诚、心直口快。我曾多次感到她的开放有些过头,而她也觉得我的拘谨近乎于机能障碍。这一切都出现在我们的深度交流中。渐渐地,我开始尊重桑德拉的见地和智慧,她则使我变得更加开朗、乐善好施、擅长交际。

比方我曾一度觉得桑德拉有一种"怪僻"，多年来它一直困扰着我。桑德拉似乎迷信弗里奇戴尔牌的用具，对此我简直无法理解。对于其他牌号的用具，她甚至连考虑都不愿考虑。我们刚开始共同生活时，手头非常紧，可她仍然坚持驱车 50 英里，到出售弗里奇戴尔牌用具的"大城市"去，仅仅因为我们小镇当时没有商店出售这种用具。

这事使我十分不快。幸好，矛盾仅出现在买弗里奇戴尔牌用具时。然而，当问题出现时，我的反应就如同触及了高压电钮一般。这个问题似乎代表了一切不合理性的想法，在我身上激起整套的消极情感。

通常情况下，我总是压抑这些情感，因为我觉得处理这事最好的办法就是不去理会它，否则，我会失去自制，说一些不该说的话，到头来还得赔礼道歉。

但最使我烦恼的还不是桑德拉喜爱弗里奇戴尔牌子，而是她老说些我觉得完全不合逻辑不成理由的话，来为这个牌子辩护。这真使人心烦意乱。

我永远不会忘记我们把这个问题谈清楚的那一天。我们没有在海滩上停留，而是继续驱车越过甘蔗地，边走边谈，这么做或许是因为谁也不愿意看着对方的眼睛。关于这个问题，有漫长的心理历史和许多深埋已久的不良情感。虽然它从未达到使关系破裂的严重程度，但想培育一种美好和谐的关系，任何一个造成双方不和的问题都不可小视。

桑德拉似乎第一次明了自己产生所谓怪僻的原因。她谈论父亲，讲他是如何多年担任高中历史教员和私人教师，又如何为维持生计从商经营家庭用具。一次，他遇到了严重的经济困难，而当时只有弗里奇戴尔公司资助他，使生意能维持下去。

237

桑德拉与父亲有一种不寻常的、深厚而甜蜜的关系。父亲忙碌了一天,疲惫不堪地回到家后,总要躺在沙发上。这时,桑德拉就为他揉脚,给他唱歌。父亲便敞开心扉,讲叙自己对生意的关切和忧虑。他和桑德拉一样都深深感激弗里奇戴尔公司的资助,使他得以渡过难关。

多年来,他们几乎每天这样度过美好时光。父女俩的交流自然而又轻松。

桑德拉自己对弗里奇戴尔牌用具的感情根源有了非凡的认识。我也对她产生了一种全新高度的尊敬。她并非谈论用具,而是在谈论父亲,谈论忠诚,即对父亲的需要的忠诚。

记得那天我和桑德拉后来都热泪盈眶,这并非由于我们都获得了新的见识,而是因为我们彼此增进了尊敬感。我们发现,哪怕一些微不足道的小事,都常常源于深刻的感情经历之中。若仅仅处理表面的琐事而看不到更深层、更敏感的问题,就无异于践踏对方心中的圣地。

在那些日子里,我们的交流硕果累累,几乎能够立即沟通彼此的想法。离开夏威夷之后的许多年里,我们仍然定期驾车行驶,边走边交谈。我们感到维持双方继续相爱的关键就是交谈,特别是谈论感情。每天我们都争取能交流几次,甚至在我外出旅行时也是这样。这使我感到像是回到了家庭的怀抱,沐浴在家庭所代表的一切欢乐和安全感里。

是的,你可以重新回家——如果你的家是指一种值得珍重的关系,一种宝贵的伴侣关系的话。

几代同堂的生活

我们也曾试过由外而内的做法。我们都爱对方,都想通过控制自己的态度和行为来解决分歧。但这和创口贴、阿斯匹林一样，只能一时奏效，治标不治本。

而当我们开始由内而外交流时，由此建立的互信和坦率的关系，便深入而持久地解决了我们的分歧。交流结出了芬芳果实，包括充实的双赢关系、互相间的深刻理解和默契。它们重新塑造了我们，有效管理着我们的生活。

成果还不仅止于此。我们从更深层次上懂得了这样一个道理：正如我们的生活曾受自己父母的有力影响一样，我们子女的生活也会受到我们的影响，被我们塑造，而我们影响子女的方式甚至连自己都难以察觉。所以我们希望，我们通过教诲或身教传给后代的东西，都建立在正确的原则基础之上。

阅读本书时，我想请读者特别注意那些前辈所赋予的，而我们又积极主动想去改变的人生剧本。对于这些先辈传给我们的东西，我们往往只是盲目地、理所当然地接受下来了。只有真正的独立意识会帮助我们感谢这些优良的剧本，感激离开我们而去的先辈。他们在以原则为基础的生活中培育了我们，使我们知道，我们可以成为什么样的人。

一个关系紧密、几代同堂的大家庭往往有一种超常的力量，能帮人们确认自我。让孩子们在这样的"部落"中找到自己的位置，时时感到被关怀，这的确是一件幸事。孩子们在生活中遇到困难或许并不愿意跟父母讲，而会与兄弟姐妹联系，他们可能正是孩子心目中的英雄。

前辈对自己子女的关怀是世上最宝贵的情感。我母亲已年近 90 了，但对每一位后代仍在表示深厚的关切，她给我们写信，表达自己的爱。有一回，我在飞机上读母亲的一封来信，不由得泪如泉涌。每每给她去电话，她一定会说："史蒂芬，我希望你知道，我是多么爱你，我觉得你是多么好。"她总是不断向我重申这段话。

某种意义上说，牢固的、几代同堂的大家庭是一种最有效、最得益且最满意的互赖关系。如今许多人都感到了这种关系的重要性。几年前，《根》这部小说曾使我们人人着迷，是的，每个人都有根，都有寻根的能力。

这么做并不仅仅是为我们自己，也是为我们的后代，为全人类的后代。正像有人说过的："我们传给孩子的永久性的遗产只有两件：一件是根，另一件是翅膀。"

成为转型人

向孩子和其他人传授"翅膀"首先意味着，使他们获得自由去超越父辈传给他们的消极的人生剧本。这就如我的朋友和同事沃纳博士（Dr. Terry Warner）所说，要让我们成为"转型人"（transition person）。

假若父母在你小时候责骂过你，这并不表明你也必须责骂自己的孩子。不过充分的事例证明，人们在生活中常常有这种倾向。别忘了，你是积极主动的，你可以选择不去责骂孩子，而是去肯定他们，用积极的方式塑造他们。同样，你也可以一步步去爱你的父母，原谅他们；通过寻求理解，同他们建立积极的关系。

这样，你家庭里数代相传的某种倾向就可能在你这一代中止。你是一位转型人——联接过去和将来的一环。你自身的变化可以影响许多许多后来者的生活。

萨达特是 20 世纪一位强有力的转型人，他对变革有着深刻的理解。萨达特处于过去和未来之间——过去，阿拉伯人和以色列人之间存在着一堵"猜疑、惧怕、仇恨和误解的巨墙"；未来——与日俱增的冲突和孤立似乎不可避免。

当其他人试图用砍枝叶的方法来解决这种紧张局势时，关押在牢房中的萨达特却凭借自己早先的经验，力求从根本上解决问题，从而为千百万人改变了历史的进程。

萨达特在自传中这样写道：

就在那个时候，我几乎毫无觉察地利用了自己在开罗中央监狱 54 号牢房中培育出的致力变革的内部力量。这种力量可以称为一种才能或是能力。我发现自己面临的是一种极度复杂的局面，我不能指望改变它，除非以必要的心理和智力上的才能武装自己。我在那个与世隔绝的地方进行的对生活和人的本性的思索教我懂得：一个不能改变自己思维模式的人将永远不能改变现实，因此也永远不会取得任何进步。

变革——真正的变革——产生于由内而外的过程。砍枝叶的做法，只是以权宜之计应变，治标不治本。真正的变革来自于从根基解决问题的方法，也就是从我们的思维模式着手，正是这种模式，赋予我们观察世界的镜片。艾米尔（Amiel）说过：

精神上的真理可以借思想表达出来。人可以感受到这一点，从而去实践它。通过这些方法，精神上的真理可能会打动我们，迷住我们，但我们对它仍是可望不可及。比意识更深的东西是我们自身——我们的实质，我们的本性。只有最终深入到这一领域的真理，和那些成为我们自身，成为自发的、不由主观意志控制的，以及自愿的、无意识的同时又是有意识的真理，才真正是我们的生活——也就是说，是某种胜过财产的东西。只要我们还能辨认出自己和真理之间的距离，那么我们就仍置身于真理之外。思想、感觉、愿望或生活的意识并不一定就是生活。生活的目的是变为神圣，只有那时，我们才能说真理属于我们，不可能失去。它不再置于我们身外，或置于我们身内，而是我们就是真理，真理就是我们。

与我们所爱的人、朋友、我们的同事和谐一致，或曰统一，是七个习惯的最高的、最美好成果。相信大多数人都曾尝过和谐一致的果实的美味，也同样尝到过不一致的苦果。所以我们懂得，一致是多么宝贵，又是多么脆弱。

显然，培养正直的性格和享受和谐一致、充满爱心的生活不是一件易事。做到这点不是一蹴而就的，但它却是可能的。只要我们有心将生活建立在正确原则之上。

当然我们难免也会犯错，为此难过。然而，若我们每日坚持由内而外的修身功夫，就一定会带来成果。在播种、除草、培植幼苗的过程中，定能感受到成长的激动，并最终尝到和谐圆满生活结出的鲜美硕果。

这里，我再引用爱默生的一段话："只要我们坚持干，事情就变得容易了。这并非因为任务的性质变了，而是因为我们办事的能力增强了。"

通过把自己的生活建立在正确的原则上，在办事和增强办事能力之间平衡，我们就能获得能力，创造圆满平静的生活……，为我们自己，也为我们的后代。

你是哪种类型的人
——生活重心面面观

附录一

重心类别	配偶	家庭	金钱	工作	名利
以配偶为重心	• 满足个人需要的主要来源	• 维持即可 • 次要 • 夫妻共同目标	• 照顾配偶所必要的	• 为赚钱养活配偶必须工作	• 使配偶幸福,讨好或操纵配偶的手段
以家庭为重心	• 家庭的一部分	• 第一优先	• 家庭经济支柱	• 达到目的的手段	• 带给家庭舒适与机会
以金钱为重心	• 赚取金钱的资产或负担	• 促使财源只出不进	• 安全感与成就感的来源	• 为赚钱不得不工作	• 财力雄厚的明证
以工作为重心	• 工作的助力或阻力	• 协助或打断工作 • 应教导家人敬业精神	• 次要 • 辛勤工作的证据	• 成就感与满足感的主要来源 • 第一要务	• 提高工作效能的工具 • 工作成果的代表
以名利为重心	• 主要财产 • 赚取财富的帮手	• 可供支配掌握的财产 • 可借以炫耀财富	• 增加财产所不可或缺 • 可控制的财产	• 提供取得权势、地位与肯定的机会	• 地位象征
以享乐为重心	• 追求享乐的同好或阻力	• 可利用的工具或受到干预的原因	• 可提供更多的享乐	• 达到目的的手段 • 有趣的工作可以接受	• 享乐的对象与手段
以朋友为重心	• 可能是朋友或竞争对手 • 社会地位象征	• 家人是朋友或阻碍友谊发展的障碍 • 社会地位象征	• 经济与社会地位的来源	• 社会机会	• 换取友谊的媒介 • 娱乐与社交的工具

重心类别	享乐	朋友	敌人	宗教	自我	原则
以配偶为重心	●增进感情的共同活动或不值得重视	●配偶是最好或惟一的朋友 ●夫妇共有的朋友才算朋友	●配偶与我一致对外，维系婚姻于不坠	●共同乐于参与的活动 ●重要性次于婚姻关系	●自我价值观决定于配偶 ●极易受配偶行为态度影响	●建立与维系婚姻关系的观念
以家庭为重心	●全家集体行动，否则不值得重视	●必须是全家的朋友，否则引起争执 ●家庭生活的一大威胁	●由家人认定 ●家庭团结壮大的原因 ·可能威胁整个家庭	●求援的对象	●重要但地位次于家庭	●维系家庭团结壮大的规范 ●受家庭所左右
以金钱为重心	●浪费金钱或经济窘迫的表征	●有选择性，因经济地位或影响力而定	●经济上的竞争对手 ●对经济安全的威胁	●省税途径 ●财富分享者	●自我价值观由财产净值决定	●赚钱与理财的原则
以工作为重心	●浪费时间 ●影响工作	●因工作环境或同好而结交 ●基本上并非必要	●影响工作成效的障碍	●有益于树立企业形象 ●占用个人时间 ●建立职业关系的机会	●由工作角色决定	●促使事业成功的观念 ●应配合工作环境需要
以名利为重心	●逛街、购物、加入社团	●个人所有物 ●有利用价值	●掠夺者、盗贼 ●财富名气超过自己的人	●地位象征可能遭恶意攻击，也可能对个人有好处	●视个人拥有的财富而定 ●由社会地位与名气而定	●能使人获得或增加财富的主张
以享乐为重心	●人生首要目标 ●满足感的主要来源	●追求享乐的同伴	●对生命太认真 ●带来罪恶感、破坏好事的人	●妨碍享乐，令人有罪恶感	●取乐的工具	●应予以满足的本能及自然冲动
以朋友为重心	●与朋友在一起乐在其中 ●以社交活动为主	●对个人幸福极为重要 ●有归属感、被人接纳、受人欢迎，都很重要	●社交范围外的人 ●共同的敌人可巩固或形成友谊	●社交聚会的场所	●由社会决定 ●惟恐尴尬或被排斥	●有助于与他人相处的基本法则

你是哪种类型的人？——生活重心面面观

重心类别	配　偶	家　庭	金　钱	工　作	名　利
以敌人为重心	• 同情我的人或代罪羔羊	• 慰藉（精神支柱）或代罪羔羊	• 对抗敌人的态度或高敌人一等的证明	• 发泄情绪的寄托或机会	• 作战工具 • 争取盟友的工具 • 慰藉、避难所
以宗教为重心	• 替教会服务的同伴或助力，也可能是信仰的考验	• 信仰虔诚的模范，或信仰的考验	• 养家与捐助教会的凭借 • 重要性若超过教会就是罪恶	• 维持世俗生活所必需	• 身外之物，毫不重要 • 名誉与形象极为可贵
以自我为重心	• 个人财产 • 可取悦及满足自己	• 个人财产 • 可满足个人需要	• 满足个人需要的来源	• 自行其是的机会	• 可肯定、保护与强化自我
以原则为重心	• 在互利互赖关系中地位平等的伙伴	• 朋友 • 奉献服务与成就自我的场所 • 修正与传递正确观念的场所	• 有助于达成重要目标与完成要务的资源	• 提供有意义地运用聪明才智的机会 • 累积经济能力的机会 • 投入的时间应恰到好处，不违资助人生目标与价值	• 可运用之资源 • 应小心维护 • 荣誉是人的第二生命

重心类别	享乐	朋友	敌人	宗教	自我	原则
以敌人为重心	• 战斗前的休息放松	• 精神支柱与同情者 • 可能因共同敌人而结合	• 憎恨的对象 • 个人问题之根源 • 促使个人求自保与自圆其说	自圆其说的借口	• 受迫害 • 受制于敌人	• 指控敌人的借口 • 挑剔对方的依据
以宗教为重心	• 与教友相聚的正当娱乐 • 其他娱乐则不正当或浪费时间，必须禁止	• 教会中的成员	• 教外之人，不接受或明显违反教义之人	人生方向的最高指引	• 个人价值由于教会活动、对教会的奉献及实践教义的程度而定	• 教条 • 一般原则从属于教会之下
以自我为重心	• 个人应得的感官满足 • 个人的权利与需要	• 支持、资助自己的人	• 自我肯定、自圆其说的依据	满足私利的工具	• 聪明过人、高人一等，永远没有错 • 所有资源均应满足个人	• 自圆其说的依据 • 最能满足私欲及符合自身需要的观念
以原则为重心	• 有重心的生活中，几乎一切活动都能带来喜乐 • 真正的再创造，为多彩多姿且均衡的生活方式所不可或缺	• 互赖生活中的同伴 • 分享喜怒哀乐、互助互赖的知己	心中没有真正的敌人，只是观念不同，应加以了解关注	• 正直原则的来源 • 提供奉献服务的机会	• 独一无二、才华横溢的独立个体，与其他的独立个体互助合作，可创造不凡成就	• 亘古不变的自然法则，违者将自食其果 • 尊重原则，个人尊严才得以维护，并获得成长与幸福

247

第四代时间管理
——高效能人士的一天

附录二

　　以下是在办公室掌握重点、善用时间的实例，有关原则请参看第五章。

　　假定你是一位大药厂的行销主任，现在正是一天的开始。浏览当天的行事历后，你估计每项工作所需时间约为：

　　一、邀总经理共进午餐。（1 至 1.5 小时）

　　二、拟订下一年度媒体广告预算。（2 至 3 天）

　　三、处理积压过多的公文。（1 至 1.5 小时）

　　四、与业务经理讨论上个月业绩。（4 小时）

　　五、处理急待回复的若干信件。（1 小时）

　　六、浏览桌上堆积如山的医学杂志。（半小时）

　　七、为下个月的业务会议准备口头报告。（2 小时）

　　八、据传某产品最近一批货的质量有问题。

　　九、回复政策主管官员来电，讨论此事。（半小时）

　　十、参加下午 2 点召开的主管会议，但议题不明。（1 小时）

　　现在我运用习惯一、二、三所揭示的原则，安排全天的行事顺序。虽然这只是短短的一天，但已足以反映掌握时间的秘诀。

　　上述预定工作项目中，除第六项阅读医学杂志外，似乎都既重要又紧急。根据第三代时间管理原则，我们应依循个人的价值观与目标来安排事情的先后顺序，当然也必须考虑别人是否能配合。而且某些事情不能变动，例如中午必须进餐。

许多人采取这种时间管理方式，在当天即展开大部分工作，未完成的则顺延至第二天或更久之后。比方说，多数人会利用上午8至9点，打听下午主管会议的确实议题，以便事先准备，并与总经理约好共进午餐的时间，再和政府官员洽谈产品质量管理问题。

接下来的1至2小时，一般人会去见业务经理，处理信件，以及查证有关产品质量问题的传言；其余时间则用于准备中午的餐会或下午的会议。

午餐后，先处理上午未完成之事，待开完会再批公文或应付当天突发情况。

至于编列媒体广告预算及准备下月业务会议的口头报告，通常不会被视作急待处理的事，延后一、两天似乎也无妨。然而这两年工作却与长期规划及业务目标有关，虽不紧急，却很重要。

你是否也是以上述方式处理公务？还是根据第四代时间管理原则，掌握重点行事？(请参考第五章表五—1)

要事第一、事半功倍

要事第一的时间管理方式并非一成不变，你可以就实际状况灵活运用，这里只提供一些可行的建议。

●下午2点的主管会议：显然这次会议根本没有预定的主题，或是必须到开会时才知道。这种情形司空见惯，无怪乎时常会而不议，议而不决。

通常这类会议只讨论迫在眉睫之事，重要但不紧迫的事必然排不上议程，这正符合了帕金森定律(Parkinson's Law)——预定多少时间，就会有多少工作。

为了扭转这种现象，你不妨准备一份有关提高议事效率的报告，要求列入议程。即使开会时只分配到几分钟时间，也可先做预告，引起在座者的兴趣。不过不论何时提出，这份报告应强调，每次会议须明订目标与完整议程，以便与会者预先做准备，开会时能有所建议；议题中应包括具有开创性的长远目标。

此外，会议纪录应在会后尽快发给每位出席者，并根据决议指定任务与完成时限，并且把成效列入未来会议的议程，加以检讨。

要把准备这样一份报告当作今日要务，需要极大的勇气与自制力。同时必

251

须考虑周详,以免会议上出现尴尬局面。其余各项工作,多半可按这种方式处理,惟有与政府主管官员洽谈一项除外。

●回复主管官员来电:此事本来可授权属下去做,但由于牵涉到另一机关,可能超出个人影响圈之外,所以不妨趁早亲自完成。如果从电话中得知质量管理问题是持续性的,就应该下定决心防患于未然。

●与总经理午餐:这也许是个难得的机会,可在无拘无束的气氛下,讨论一些长远之计,也就是重要而不紧迫之事。或许你必须在上午抽出几十分钟来准备,也可能你只想轻轻松松聆听对方侃侃而谈,这两种方式或多或少都有助于与上司建立良好关系。

●编列媒体广告预算:可请与业务直接相关的部属,提供"员工业务细案"的建议(也就是大致上只须你签署同意即可的报告),或是提出两、三种方案供你选择。你可能得花上整整 1 小时,与部属讨论预期成果、基本方针、可运用的资源及责任归属、成果评估。但是以后却可节省时间、又能统合综效。如果以往不曾采用这种方式,起初也许得花费较多时间,训练员工如何结合彼此的力量,完成所谓"员工业务细案"。

●待办公文与信件:与其自己埋头于成堆的公文与信函中,不妨每天花费半小时或 1 小时,训练秘书或助理代为处理。

如果秘书没有把握如何回复,可先行整理,并附上建议或说明供你裁决。如此一来,可能绝大部分的文件都不必由你经手,秘书会做得比你更妥贴。

●与业务经理讨论业绩:你们可以检讨行销与业务部门的关系及双方议定的业绩目标,看看彼此是否掌握了重点。至于原定的讨论主题,很可能急待解决。但是有效的讨论除了解决眼前的问题,还应该探讨潜藏在问题背后的长期成因。

此外,你可以训练秘书与业务部门联系,有要事才向你报告。你或许有必要向业务经理及属下说明,主管的首要职责是领导而非管理,有些问题与秘书商量即可。若是担心业务经理不屑与秘书打交道,至少可先着手建立两者之间的关系——有一天他终于会觉悟,身为主管,不必事必躬亲。

●阅读医学杂志:此事或许并不十分急迫,但经常吸收新知,是培养专业素养与信心所不可缺少的。你也可在下次部门会议中,建议员工订定计划,分别阅读这些杂志,并提出心得报告;或者选出重要文章及摘要,供全体传阅。

●准备下个月的业务会议:你可指定属下分工合作,代表不同的意见与业务问题,分析全体业务人员的困难与需要。并在 1 周或 10 天内提出完整的议程建议,由你做最后决定,并且付诸实行。

●部属在设定议题前,应逐一访问业务人员,或抽样调查,千万不可闭门造车。议程订定后,应及早分送每位出席者,以便预先做准备。

如果属下不习惯这种方式,你应该详加说明用意与优点。并且训练他们思虑远大,对交办的工作要有责任感,彼此分工合作,在一定时间内交出够水准的成绩。

●产品发生质量管理问题:产品出了问题,必须彻底检讨原因。倘若是长期累积的结果,就应该指定专人深入研究,并提出解决办法。或者授权属下自行解决,但将结果呈报。

经由以上的安排,这一天的工作包括了授权、训练员工、准备主管会议、打一通电话、吃一顿颇有收获的午餐。如果每一天都能把握同样的原则,不久你就会再为急事缠身,而能静下心来领导、擘划。

或许有些人认为,这种做法太理想化,难道真有完全不必面对突发事件的经理人吗?我承认这种作风的确相当理想化。但本书的主旨并非"毫无效能人士"的行事方法,而是"高效能人士"的工作准则。高效能原本就是值得追求的理想。

当然,任何人都无法避免突发事件,况且纵使规划再完善,仍然可能发生意外。只不过我们可以将急务减少到不影响正事的地步,免得时时处于压力过大的状况下。压力毕竟有损于判断力与健康。

我必须再次强调,坚持原则需要耐心与毅力,培养把握重点的习惯也是这样。幸而只要踏出了第一步,总有成功的一天。一旦自己办到了,还要鼓励别人跟进。

我承认,在家庭或小型企业中,授权可能行不通。但有心人仍可举一反三,加以变通。运用之妙,完全存乎一心。

253

《高效能人士的 7 个习惯》
全国各大中城市经销商名录
（排名不分先后）

如果集团购买，请与各地经销商联系，以确保正版并享受折扣供书。

北京儒仕源精品书店	85805018	路秀峰
北京今日视点图书有限公司	65927853	李晓航
当代世界出版社北京经营部	65934295	王京生
上海海峡书店文庙批发部	021－63765002	周利良
上海花山文艺出版社驻沪经理部	021－63768969	李世江
广东省艺术研究所书刊部	020－34286076	肖 斌
广东学而优书店	020－34454118	陈定芳
深圳经济学会求知图书批发部	0755－82405552	王 新
山东济南阳光书店	0531－2023054	陈建友
山东青岛家教书刊批发部	0532－3848183	韩曦坤
辽宁沈阳文史书店	024－23916698	郝炳勤
辽宁大连文化图书发行公司	0411－2634466	张玉莲
江苏南京万博文化传播有限公司	025－3311865	万小勇
江苏苏州文欣书店	0512－65307943	邵安昆
吉林长春大陆桥书局	0431－2728299	杨爱民
安徽合肥崇文书店	0551－2653966	李耀芳
浙江杭州轻工图书发行部	0571－88480021	陈财林
黑龙江哈尔滨精华书店	0451－8661971	于麟静
江西南昌青苑书店	0791－8592290	万国英
福建厦门明志图书有限公司	0592－5888586	陈志云
福建福州晓风书屋	13806052825	刘宗龙
四川川图读者服务部	028－83382648	文明英
四川新闻图书发行中心批发部	028－83179529	陈 琦
陕西音乐天地书刊发行部	029－7421994	游 勇
重庆精典文化传播有限公司	023－63734314	杨 一
湖北武汉成才杂志社读者服务部	027－85498419	彭正刚
湖南长沙金鹏书局	0731－4442836	陈明辉
甘肃兰州纸中城邦图书广场	0931－8727932	文 群
河南郑州求知书店	0371－7647342	朱向阳
新疆飞行书店	0991－5588625	岳 薇
山西太原尔雅书店	0351－7245403	靳小文
云南昆明经济书店	0871－4179197	刘国俊
天津新星书局	022－27694843	高小妹
广西南宁鸿昌书社	13607883563	陈钜昌
贵州西西弗文化传播有限公司	0851－6851842	谢思晴

http://www.dangdang.com   http://www.bolchina.com   http://www.joyo.com
http://store.sohu.com   http://www.dayoo.com   http://www.book11.com

新华书店首都发行所是全国新华书店总经销，
电话 010－66056183   联系人：袁丽敏
北京、广州、上海、深圳等各大、中城市的新华书店均为本书经销商。

如果读者在以上经销点不能购买到本书，请直接与中国青年出版社北京中青文书刊发行中心联系。

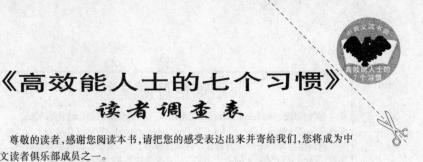

《高效能人士的七个习惯》
读 者 调 查 表

尊敬的读者,感谢您阅读本书,请把您的感受表达出来并寄给我们,您将成为中青文读者俱乐部成员之一。

1. 您获得本书的渠道:
   □新华书店　□书亭(摊)　□普通书店　□赠阅　□网上书店　□其他

2. 您通过何种渠道最早了解到本书:
   □偶然场合　□经人介绍　□书店广告　□报刊　□电视

3. 您的阅读情况:
   □全部　　　□大部分　　□少部分　　□某一章节

4. 您手上的《高效能人士的七个习惯》大致传阅人数为:
   □1－2人　　□3－5人　　□5－10人　□10人以上

5. 除本书外,您经常阅读的图书:
   a.　　　　　　b.　　　　　　c.　　　　　　d.

6. 您对本书的总体印象:
   □优秀　　　□良好　　　□一般　　　□差

7. 您对本书的整体评价:
   a. 全书内容　□很好　□较好　□一般　□较差　□很差
   b. 部分章节　□很好　□较好　□一般　□较差　□很差
   c. 译文水平　□很好　□较好　□一般　□较差　□很差
   d. 装帧设计　□很好　□较好　□一般　□较差　□很差
   e. 印刷制作　□很好　□较好　□一般　□较差　□很差

8. 您对本书的观点是否赞成,为什么?您想对该书的作者、编者和其他读者说点什么?

9. 您以为本书的内容对您的生活、工作有多少直接的帮助?

10. 您愿意与作者或编辑面对面对话吗?

本社将根据您以下地址寄送俱乐部成员手册。

姓　　名＿＿＿＿＿＿＿＿性别＿＿＿＿年龄＿＿＿＿＿＿文化程度＿＿＿＿＿＿＿＿＿

工作单位＿＿＿＿＿＿＿＿＿＿＿＿＿＿＿＿＿＿＿＿邮编＿＿＿＿＿＿＿＿＿＿＿

职　　务＿＿＿＿＿＿电话＿＿＿＿＿＿＿E－mail＿＿＿＿＿＿＿＿＿＿＿＿＿＿

通讯地址＿＿＿＿＿＿＿＿＿＿＿＿＿＿＿＿＿＿＿＿＿＿＿＿邮编＿＿＿＿＿＿＿

请将本调查表寄至:北京市东城区东四10条王家园10号

中国青年出版社北京中青文书刊发行中心　　　邮编:100027

E－mail:zqw5566@vip.sina.com　　　　　　**电话:**010－65518035

培训信息需求

富兰克林柯维公司(FranklinCovey)在中国唯一合法认证的合作伙伴为**双赢管理咨询有限公司(Centre for Effective Leadership)**，是亚洲首家为个人与组织提供世界一流的培训和管理咨询服务的公司。该公司提供多种培训课程，(如"高效能人士的七个习惯"，"掌握关键"，"高效领导的四角色"，"与客户双赢"等)欢迎您与我们联系索取相关资料，或登陆我们的网站寻求更多信息：www. highlyeffectiveleaders. com

请告知我们您需要了解的课程信息

- （ ）高效人士的七个习惯　　　　The 7 Habits of Highly Effective People
- （ ）掌握关键(时间管理和自我管理)　What Matters Most
- （ ）高效领导四角色　　　　　　The 4 Roles of Leadership
- （ ）与客户双赢 (顾问式销售)　　Helping Clients Succeed

北京 电话：010 - 85636393　　传真：010 - 85625186;　　　E Mail: Fccbj@ public. bta. net. cn
上海 电话：021 - 63878222　　传真：021 - 63870188;　　　E Mail: Fccliang@ sh163. net
广州 电话：020 - 83878706　　传真：020 - 83752205　　　E Mail: Kuangh@ public. guangzhou. gd. cn
香港 电话：(852)2541 2218　传真：(852)2544 4311　　　E Mail: Training@ asiacel. com

读者个人资料：

姓名：　　　　　　公司：　　　　　　　　　职位：

公司地址：

电话：　　　　　　传真：　　　　　　　　　E Mail 地址：

FrankinCovey 富兰克林柯维公司简介

当您阅读完《高效能人士的七个习惯》(The 7 Habitsof Highly Effective People) 这本书后，是否希望获得更多的学习资讯，与更多的职业经理人探讨成功的心得？富兰克林柯维公司的培训《高效能人士的七个习惯》使您更加深入地了解书中的理论，彻底地改变思维模式，从而为您走向成功之路奠定坚实的基础。

富兰克林柯维公司擅长于通过使用先进的培训方法和系统、完善的内容帮助个人和组织提高效能，其最著名的课程《高效能人士的七个习惯》就源于史蒂芬．柯维(Stephen R. Covey)的同名著作。它所传授的内容不是某种流行时尚或管理技巧，而是经过时间的考验并且能够指导行为的基本原则。通过彻底思维的改变达行为的改变从而加强了组织内部的管理机制、培养组织内部的共同语言和价值观；在全球每年有七十五万人次参加富兰克林柯维公司的培训，而该公司也因其优异表现连续五年入选中国三大培训公司，并在 2000 年被《China Staff》(中国人事杂志)评为中国最杰出的培训公司。

富兰克林柯维公司 FranklinCovey 在上海，北京，广州设有分支机构，有上万人已参加过《高效能人士的七个习惯》培训，我们真诚地希望能提供专业的咨询服务。

咨询电话：010 - 85636393;

E Mail: Fccbj@ public. bta. net. cn